Einaudi Storia   65

ISBN 978-88-06-20583-6

Marco Magnani

Sindona.
Biografia degli anni Settanta

Giulio Einaudi editore

Indice

p. 3   *Premessa*

7   I.   Il contesto

23   II.   Miracolo: a Milano, a San Pietro

37   III.   Alla conquista di un impero

61   IV.   Il crollo

89   V.   Il veleno nelle istituzioni

125   VI.   Prigioniero di se stesso e della mafia

139   *Epilogo*

147   *Riferimenti bibliografici*

155   *Indice dei nomi*

Per le critiche, i commenti, le discussioni ringrazio di cuore Andrea Bosco, Andrea Brandolini, Pierluigi Ciocca, Riccardo De Bonis, Vincenzo Desario, Alfredo Gigliobianco, Giorgio Gobbi, Miguel Gotor, Salvatore Rossi, Gianni Toniolo.
La responsabilità del testo rimane esclusivamente mia.

Sindona. Biografia degli anni Settanta

Premessa

La parabola dell'avvocato Michele Sindona, nato nel 1920 a Patti nel Messinese e morto suicida nel carcere di Voghera nel 1986, è un prisma che scompone una per una le componenti della storia italiana nella seconda metà del Novecento. Sorge subito dopo la guerra, quando il giovane Sindona emigra a Milano, come faranno di lí a poco tantissimi siciliani. Grazie al suo spregiudicato talento di fiscalista si fa rapidamente un nome che mette al servizio della rampante borghesia milanese. Quando arriva il miracolo economico è ormai un professionista di grido, che annovera tra i suoi clienti gli amministratori di imprese del calibro di Montecatini, di Edison, di Snia Viscosa. Nel 1960 acquista la sua prima banca, la Privata Finanziaria, forte dei rapporti che ha saputo intessere con primarie banche estere e con la banca del Vaticano, di cui diverrà presto il fiduciario. Alla fine degli anni Sessanta è un finanziere affermato negli Stati Uniti. In Italia è considerato il piú dinamico banchiere privato, per alcuni addirittura l'uomo che serve per scuotere un mondo dove comandano sempre gli stessi.

Sindona appartiene alla cerchia degli uomini senza pedigree che conquistano successo e ricchezza in quegli anni di straordinario cambiamento della società italiana. Ma le sue ambizioni sono incomparabilmente maggiori di quelle di un mobiliere brianzolo o di un palazzinaro romano. Ha dalla sua un'intelligenza svelta e versatile, la passione per l'azzardo, la smania di affermazione, la spregiudicatezza morale che occorrono per puntare in alto, non solo in Italia. Un uomo dalla grandezza sinistra ma indubbia, secondo il governatore della Banca d'Italia, Guido Carli.

L'esplosione del Sessantotto, l'«Autunno caldo» del 1969, la fine del sistema monetario internazionale nato dopo la guerra a Bretton Woods e la crisi petrolifera innescano il grande disordine degli anni Settanta di cui un *outsider* come lui ha bisogno. In pochi anni il banchiere siciliano giuoca e perde la sua partita.

Alla fine del 1974 le sue banche, la Banca Privata in Italia e la Franklin National Bank a New York falliscono clamorosamente. I dissesti sono favoriti dal nuovo contesto internazionale in cui non vi sono piú tassi di cambio fissi, dove grandi operatori privati muovono incessantemente imponenti flussi di denari da un Paese all'altro in cerca di profitto correndo elevatissimi rischi, in una sorta di anticipo della globalizzazione finanziaria che esploderà vent'anni dopo. Gli organismi di vigilanza bancaria hanno difficoltà nell'adeguare con rapidità il proprio *know how* al mutato scenario: un problema che la recente crisi finanziaria ha reso di nuovo attuale.

L'esemplarità della vicenda di Sindona consiste nella sua capacità di sfruttare creativamente una struttura del potere in cui convivono in stretto rapporto fra loro poteri finanziari, istituzionali, politici, eversivi, criminali. È il mondo delle consorterie trasversali, della loggia massonica P2 e della mafia, in cui Sindona s'immerge elargendo denari alla Democrazia cristiana in cambio di favori alla sua banca, chiedendo aiuto al presidente del Consiglio Andreotti financo da latitante, ottenendo il supporto dei massoni e di Cosa Nostra a cui commissiona l'assassinio di Giorgio Ambrosoli, il commissario liquidatore della Banca Privata che non vuole cedere alle sue pressioni.

Questo intreccio di poteri costituisce la versione patologica, ma tutt'altro che effimera, di un modello di capitalismo relazionale il cui ruolo essenziale nella storia recente italiana è ormai indiscusso. «Un regime che si va corrompendo»[1]: sono le parole con cui Aldo Moro definisce la corruzione partitocratica che sta avanzando nel Paese quando dalla prigione delle Brigate Rosse ripercorre i principali scandali degli anni Settanta, fra cui quello di Sindona.

Negli anni Ottanta, con l'espansione della spesa pubblica il fiume di denari che dallo Stato affluisce alle imprese rende la corruzione e la concussione prassi abituali. In un mondo rivoluzionato dalla caduta del muro di Berlino, «Mani Pulite» dissolve i partiti della prima Repubblica ma non riesce a estirpare il sistema di corruttela, che si polverizza, penetrando nei piú minuti interstizi delle istituzioni a tutti i livelli, spesso in connubio con la criminalità organizzata. È storia dei nostri giorni.

Sindona perse la propria scommessa drammaticamente, ma la sua sconfitta fu dovuta soprattutto al coraggio dei pochi che tentarono, per quanto loro possibile, di arginare lo scadimento dello spirito pubblico di cui il banchiere fu espressione paradigmatica. Negli anni successivi altri si sono trovati a combattere da isolati, a pagare con la vita fra l'indifferenza dei piú verso le ragioni del bene comune, come successe a Giorgio Ambrosoli. Anche questo è un filo che ci lega ancora oggi alla storia dell'avvocato Michele Sindona.

¹ Gotor, *Il memoriale della Repubblica*, p. 545.

Capitolo primo

Il contesto

Nel 1960 Michele Sindona coronò il suo sogno: divenne un banchiere. Quindici anni prima aveva lasciato la Sicilia per Milano, diventando rapidamente un fiscalista assai apprezzato dalla borghesia meneghina. Perennemente a caccia di guadagni, curava patrimoni, comprava e vendeva freneticamente società e portafogli azionari. Ma le sue vere aspirazioni erano altre. Con l'acquisto della Bpf (Banca Privata Finanziaria), una piccola ed esclusiva banca milanese, compí il primo, decisivo, passo.

Il momento era propizio. Con i mercati nel vortice euforico del Miracolo, l'economia correva come mai prima, vivendo nel giro di pochi anni una trasformazione quantitativa e qualitativa senza precedenti[1]. Il Pil (prodotto interno lordo) crebbe del 7,2 per cento quell'anno. Era aumentato del 7,1 l'anno prima, accelerò all'8 quello successivo. Dal 1957 al 1963, in piena «età dell'Oro» – cosí gli storici dell'economia definiscono il periodo di straordinaria crescita dell'Occidente fra il 1950 e il 1973 – il Pil in Italia salí di oltre il 55 per cento. La composizione produttiva mutò profondamente in favore della manifattura e dei servizi. L'Italia contadina ne fu sconvolta. Dal 1957 al 1963 perse quasi due milioni di occupati – dal 35 al 27 per cento in rapporto a quelli di tutta l'economia – che divennero operai e manovali nel Centronord italiano e in Europa. Rispetto al Pil interno, il settore agricolo calò dal 19 al 13 per cento. Il grado di sviluppo finanziario dell'economia aumentò: nel sessennio in esame il complesso delle attività finanziarie salí dal 32 a oltre il 50 per cento in rapporto a quelle reali (case, terreni, impianti, scorte).

Il dinamismo dell'economia si accompagnò con una grave crisi politica. Nello stesso anno in cui Sindona acquistava la Bpf, il presidente del Consiglio Fernando Tambroni, uomo proveniente dalla sinistra della Dc (Democrazia cristiana), accettò il sostegno determinante del partito neofascista (Msi) al suo governo monocolore. Dopo che il Msi annunciò di voler tenere il proprio congresso nazionale a Genova – città medaglia d'oro della Resistenza, in cui vivissime erano ancora le memorie di quella lotta – si scatenò in luglio una forte protesta antifascista, prima a Genova poi in tutta Italia, che fu repressa nel sangue dalla polizia (cinque morti a Reggio Emilia, tre in Sicilia). In quel frangente si manifestarono in embrione per la prima volta nella storia repubblicana quei tentativi oscuri di condizionare la dialettica politica dispiegatisi con virulenza nel ventennio successivo, quando emersero pienamente le debolezze di una democrazia da poco uscita dal fascismo e sottoposta alle tensioni della guerra fredda, tanto piú acute per la presenza in Italia del piú grande partito comunista occidentale[2].

Tambroni dovette dimettersi. Da quel drammatico luglio prese avvio il centrosinistra: la Democrazia cristiana abbandonò la formula centrista con cui aveva governato negli anni Cinquanta, costituendo una stabile maggioranza di governo con il Psi (Partito socialista), che aveva rotto l'alleanza pluriennale con i comunisti. Nel 1962-63 si formò un governo presieduto da Amintore Fanfani che beneficiò dell'astensione socialista. Alla fine del 1963 si costituirono gli esecutivi del centrosinistra «organico»: Dc, Psi, Psdi (Partito socialdemocratico), Pri (Partito repubblicano), retti da Aldo Moro. Non fu semplicemente il cambiamento di una formula politica. In quei primi anni Sessanta si tentò probabilmente la piú ardita scommessa riformista nella storia del Paese, assai piú ambiziosa di quella, pur in qualche senso affine, lanciata da Giovanni Giolitti a cavallo del secolo con il disegno di includere il giovane Partito socialista, o perlomeno gran parte di esso, nella dialettica politica fisiologica del nuovo Regno.

L'idea di fondo che univa il variegato fronte dei riformisti era quella di utilizzare le risorse che il miracolo economico produceva in misura mai sperimentata in precedenza per la trasformazione civile, sociale ed economica del Paese. A questo fine lo strumento primario era indicato nella «programmazione»: un ambizioso piano economico che doveva conquistare la piena occupazione, abbattere il divario Nord-Sud, realizzare un moderno sistema di servizi sociali e di infrastrutture, introdurre una normativa *antitrust*, riformare il regime dei suoli. Nonostante alcuni successi (la riforma delle pensioni, l'istituzione delle Regioni, lo Statuto dei lavoratori), quella stagione politica – che segnò tutti gli anni Sessanta – non riuscí, per piú di una ragione, a vincere la scommessa per cui era nata. La programmazione si rivelò velleitaria. I servizi sociali e le infrastrutture di comunicazione risultarono di molto inferiori ai programmi; il ritardo del Sud si ridusse, ma meno del previsto e solo temporaneamente; la riforma urbanistica, volta a colpire la rendita speculativa sui terreni delle periferie urbane che erano oggetto di una speculazione senza pari, rimase al palo.

La svolta a sinistra perse il suo impeto in tempi relativamente ristretti. Sul piano politico pesarono le crescenti difficoltà, dovute a cause interne ed esterne, del riformismo socialista a completare un passaggio storico che pur aveva saputo aprire. Stretti, da un lato, dal moderatismo di larga parte della Democrazia cristiana che voleva depotenziare al massimo la portata della svolta e dalla critica dei comunisti a cui non erano insensibili, dall'altro, i socialisti smarrirono progressivamente l'iniziativa politica. Ne soffrí soprattutto la componente del partito piú attrezzata in campo economico, quella che faceva capo a Riccardo Lombardi e ad Antonio Giolitti. Guido Carli, l'autorevole governatore della Banca d'Italia, pur non avverso in linea di principio a una programmazione, considerava con costernazione – sono sue parole – gli «impulsi leninisti» di un Lombardi[3]. Anche il patto sociale, lo scambio politico (il contenimento della dinamica salariale in cambio delle riforme) proposto dal segretario del Pri Ugo La Malfa (ministro del Bilancio nel 1962-63), fondato anch'esso sullo strumento programmatorio ma estraneo all'obiettivo di superare il modello capitalistico, restò una meteora spenta sul nascere per l'indisponibilità dei comunisti a subordinare la politica salariale ai progetti di sviluppo.

L'opposizione del Pci (Partito comunista), ancorché politicamente articolata, fu importante nel determinare il fallimento

degli obiettivi della politica di riforme. La Cgil (Confedera-
zione generale italiana del lavoro), il sindacato maggioritario
a guida comunista, non volle farsi coinvolgere nella programmazione né tantomeno prendere in considerazione in alcun
modo una politica dei redditi, ritenuta un mero strumento
di compressione dei salari a favore dei profitti[4].

L'esaurimento della spinta riformista compromise anche
i tentativi di promuovere la concorrenza e l'efficienza dei
mercati. Nonostante l'impegno profuso, che sfociò nei lavori
di un'apposita commissione, la riforma della disciplina delle società per azioni e la legislazione *antitrust*, iniziative proposte già da anni dal piccolo ma combattivo gruppo raccolto
attorno al settimanale di orientamento liberalsocialista «Il
Mondo», rimasero lettera morta[5]. L'attenzione dei comunisti per questi temi si rivelò del resto insufficiente, anche per
le difficoltà culturali a battersi contro i monopoli in nome
della concorrenza, un valore considerato con animo diviso.
Sul versante opposto, il fuoco di sbarramento della Confin-
dustria fu intenso e vittorioso. L'insabbiamento di quei tentativi ebbe conseguenze gravi per il Paese.

I grandi oligopoli elettrici, affiancati soprattutto dal Partito
liberale, condussero una battaglia feroce contro la nazionalizzazione dell'energia elettrica, obiettivo essenziale della nuova
maggioranza. La persero, perché era questo il principale prezzo politico che i socialisti chiedevano per aderire al centrosinistra. Riuscirono però, grazie all'appoggio decisivo di Carli,
a ottenere un imponente indennizzo monetario (pari al 5 per
cento del Pil dell'epoca), salvaguardando cosí il potere delle
loro imprese a discapito dei singoli azionisti che non furono in-
dennizzati, come invece auspicavano i socialisti. Il governatore
della Banca d'Italia voleva mantenere l'integrità delle imprese elettriche affinché esse potessero investire quei denari nei
settori strategici, imprimendo cosí nuova forza allo sviluppo
dell'industria. Carli temeva che, se fosse passata l'impostazio-
ne di Lombardi, lo scioglimento delle imprese nazionalizzate
avrebbe cancellato dal listino di una Borsa già asfittica decine
di titoli, allontanando dal mercato migliaia di piccoli azionisti. Ma gli imprenditori elettrici non si rivelarono all'altezza
del compito loro assegnato dal governatore; il declino del ruo-

lo della Borsa come fonte di finanziamento per le imprese si accentuò. Una parte significativa degli indennizzi prese la via dell'estero o divenne combustibile per avventure speculative.

Sul piano politico, la destra conservatrice mantenne una forte ipoteca sulle prospettive del Paese. Lo mostrò nell'estate del 1964 il tentativo del presidente della Repubblica – il democristiano Antonio Segni – di limitare la portata riformatrice del governo di centrosinistra lasciando trapelare l'esistenza di un piano di controllo militare dello Stato e di internamento dei dirigenti della sinistra per fronteggiare asserite emergenze democratiche[6]. Il piano (Piano Solo) era stato predisposto dal comandante generale dei carabinieri Giovanni De Lorenzo, già a capo del Sifar (Servizio Informazioni Forze Armate). Dopo i fatti del luglio del 1960, il Piano Solo costituí un'ulteriore, piú inquietante, manifestazione dei tentativi di condizionamento extraistituzionale della vita politica, esperiti con la complicità di importanti apparati dello Stato. In nome della sicurezza del Paese e dell'anticomunismo, nelle sue funzioni di capo del Sifar De Lorenzo aveva accumulato migliaia di dossier su figure di un certo rilievo nella vita nazionale, di cui si serviva soprattutto per accrescere la sua influenza. I dossier passarono successivamente nelle mani di Licio Gelli, il maestro venerabile della loggia massonica P2, che li utilizzò per gli stessi obiettivi.

Il miracolo economico nel 1963 si scontrò con gli squilibri generati dall'avanzare stesso del tumultuoso sviluppo. Il raggiungimento del pieno impiego, un evento storico mai verificatosi prima e dopo di allora in Italia, favorí forti incrementi salariali che determinarono un aumento della domanda interna, un disavanzo nella bilancia dei pagamenti e un'accelerazione dell'inflazione. Gli equilibri furono provvisoriamente ricostituiti nel 1963 dalla decisa azione di raffreddamento dell'economia condotta dalla Banca d'Italia con una restrizione del credito e un aumento dei tassi d'interesse. Negli anni immediatamente successivi, tra il 1964 e il 1968, la crescita dell'economia, pur meno intensa, si mantenne sostenuta, attorno al 5 per cento l'anno. Il risparmio eccedeva gli investimenti; i capitali in eccesso defluivano all'estero, per motivi fondamentalmente di ordine politico:

«Le esportazioni di capitali rispondevano esclusivamente
alla preoccupazione, diffusa nelle classi borghesi, di un possibile avvento al potere del Partito comunista e alla instau-
razione di un sistema di generalizzata espropriazione della
ricchezza privata»[7]. In questo contesto Sindona stava creando le basi del suo impero, penetrando nel mercato americano, acquisendo il controllo della Finabank, una banca svizzera partecipata dallo Ior (Istituto Opere di Religione, la
banca del Vaticano), acquistando la Banca di Messina e
la *holding* Finanziaria e Sviluppo.

Al culmine del boom le imprese avevano vissuto con in-
quietudine il risveglio della combattività operaia, repressa
duramente negli anni Cinquanta. Dopo la frenata alla crescita operata dalla stretta creditizia, esse innalzarono la produttività riorganizzando i processi produttivi – intensificando
i tempi di lavoro: lo sfruttamento, nel linguaggio del movimento operaio – piuttosto che attraverso innovazioni tecno-
logiche di processo e di prodotto. Si confermava cosí lo storico antagonismo nelle relazioni industriali che costituí un
fattore rilevante del fallimento della programmazione e che
esploderà pochi anni dopo in forme eclatanti con l'Autunno
caldo del 1969.

Nell'insieme, dal 1964 al 1969 la crescita dell'economia
italiana non fu sorretta da politiche economiche lungimiran-
ti, in grado di risolvere i problemi vecchi e nuovi del Paese:
furono gli anni detti delle «occasioni perdute»[8] o dello «sviluppo senza guida»[9]. I fattori che sostengono la crescita di
un'economia arretrata tendono a perdere vigore a mano a
mano che si completa il processo di riduzione del divario di
prodotto pro capite rispetto ai Paesi piú ricchi. A questo fenomeno, comune a tutte le economie in ritardo di sviluppo
che convergono verso i piú alti livelli di benessere di quelle
avanzate, si aggiunse in Italia una difficoltà peculiare nel modificare il contesto istituzionale e le scelte di politica economica in accordo con la mutata fase di sviluppo apertasi dopo
il Miracolo, generando cosí nuovi problemi sociali e politici[10]. All'incapacità dell'apparato pubblico di programmare e
controllare la propria stessa azione contribuí grandemente
il «compromesso senza riforme» realizzato nell'immediato

dopoguerra. Esso rinunciò a disegnare regole per l'ordinario funzionamento delle amministrazioni pubbliche. Si preferí affidare le politiche di sviluppo all'azione di enti straordinari, sulla scia delle esperienze degli anni Venti e Trenta[11]. Il centrosinistra non riuscí a modificare questo tratto del capitalismo italiano, che divenne negli anni successivi sempre piú rilevante.

L'Italia era ormai entrata nella ristretta cerchia dei Paesi avanzati. La politica di governo non era però riuscita ad adeguarsi al nuovo status. Incapace di esprimere una prospettiva forte, volta all'affermazione di valori e interessi generali, ripiegava sulla navigazione a vista, si impigliava negli interessi particolari da cui dipendeva per la sua influenza sulla società. Paradigma di questa prassi fu soprattutto il «doroteismo» (dorotea era definita la corrente democristiana che si costituí nel 1959 nel convento di Santa Dorotea a Roma per sfiduciare il segretario del partito Amintore Fanfani), che consisteva in una continua mediazione di interessi sociali e clientelari al di fuori di una prospettiva di politica economica organica. Ne discendeva un accentuato pragmatismo politico che non riusciva ad accompagnare lo sviluppo con un programma di riforme della società, delle istituzioni economiche, dello Stato *tout court*. Vi concorreva la fragilità del consenso tra le forze politiche sugli obiettivi da perseguire, financo sui tratti essenziali della pur perseguita modernizzazione della società. Si pensi non tanto ai fini ultimi – ad esempio il socialismo, per le forze di orientamento marxista – quanto a obiettivi meno lontani, piú concreti. Le riforme della casa, della scuola, del diritto di famiglia furono tutte oggetto di scontri, anche aspri. Dopo le dure ma statiche contrapposizioni degli anni Cinquanta, i conflitti e le mediazioni tra i gruppi d'interesse prendevano a frantumarsi, a segnare anche il comportamento degli apparati pubblici. In questo contesto vennero alla luce primi episodi di corruzione, limitati a paragone di quelli che seguirono, ma sino ad allora senza precedenti nella breve storia dell'Italia repubblicana. Tra di essi gli scandali dei tabacchi e delle banane, di cui fu protagonista a metà degli anni Sessanta il ministro delle Finanze, il democristiano Giuseppe Trabucchi. In quell'occasione, il

Parlamento respinse a maggioranza l'autorizzazione a procedere richiesta dalla magistratura.

Della critica alla montante rilevanza degli interessi particolari nella vita politica, gli araldi di una corruzione crescente, si fece interprete negli anni Sessanta una figura autorevole, che giocò un ruolo non secondario nelle vicende di Michele Sindona: Cesare Merzagora. Personaggio atipico della politica italiana, Merzagora si definí «un uomo economico lombardo prestato temporaneamente alla vita politica»[12]. Formatosi prima della guerra alla Banca Commerciale e alla Pirelli, partecipò alla Resistenza nelle file del Partito liberale, in rappresentanza del quale fece parte del Comitato di liberazione dell'Alta Italia. Fu poi ministro del Commercio estero nei governi presieduti da Alcide De Gasperi nel 1947 e nel 1948, anno in cui fu eletto parlamentare come indipendente nelle liste della Democrazia cristiana. Nel 1953 divenne presidente del Senato, carica che mantenne sino al 1967. Nel 1963 fu nominato senatore a vita. Nel 1968 abbandonò la scena politica, assumendo sino al 1979 la presidenza delle Assicurazioni Generali, istituto finanziario tra i piú rilevanti del Paese. Fu un conservatore non conformista e un difensore convinto della legalità e delle istituzioni repubblicane; riteneva che la classe politica e i gruppi economici (privati e piú ancora pubblici) fossero divenuti i fattori principali di un processo di degenerazione della vita politica accentuato dalla svolta di centrosinistra.

Nel 1960 e poi ancora nel 1967, annunciando le sue dimissioni da presidente del Senato, fece di questi temi il fulcro di una denuncia che allora colpí per il pulpito da cui proveniva: «Non sappiamo se la vita dei partiti politici sarà sempre affidata alle entrate precarie che turbano i rapporti tra gli enti che dovrebbero essere controllati e i controllori; non sappiamo se si continuerà a ripartirsi i posti con criteri che guardano piú alla tessera del partito che alle qualità intrinseche dell'uomo»[13].

Merzagora esprimeva una cultura politica elitaria, che non coincideva con il modello di «capitalismo relazionale» all'italiana in cui tendevano a prevalere la negoziazione diretta fra partiti e gruppi d'interesse, il controllo politico degli enti pubblici e l'intervento sistematico da parte della politica negli assetti degli istituti bancari e delle imprese. Dall'opposizione, anche il Pci rientrava di sponda in questo sistema, sia pur limitatamente agli interessi che esso rappresentava nella società. La prassi del partito in questo campo tendeva a condividere paradossalmente la frammentarietà propria del sistema doroteo perché non era in grado di elaborare, pur se per ragioni affatto diverse, una strategia complessiva di politica economica efficace come quella dei partiti socialdemocratici europei, capace invece di costruire modelli di governo dell'economia in cui erano ben rappresentati anche gli interessi dei loro ceti sociali di riferimento. Fra le ragioni di questa incapacità non vi erano solo i legami genetici con l'esperienza sovietica, ma anche le difficoltà nel condurre una battaglia autenticamente riformista in un Paese fragile, in cui potevano aprirsi facilmente divisioni destabilizzanti. La stessa ragione, per converso, spiegava il successo di una formula realisticamente povera di ambizioni politiche come quella dorotea.

Con i mutamenti del quadro internazionale intervenuti attorno al 1970, il contesto politico ed economico italiano iniziò a destabilizzarsi. Sospinto dal disavanzo pubblico e dalla domanda interna causati dalla guerra del Vietnam, il debito estero degli Stati Uniti aumentò sensibilmente, moltiplicando i dollari in circolazione nel mondo. Nel sistema di Bretton Woods, il sistema monetario internazionale nato dopo la guerra, il dollaro era legato all'oro da una parità fissa (35 dollari per oncia), a cui la Federal Reserve, la Banca centrale degli Stati Uniti, era tenuta a convertire su richiesta delle altre Banche centrali i dollari in oro; le valute nazionali erano a loro volta legate alla moneta americana da un sistema di cambi fissi. L'abbondanza di dollari creata dall'aumento del debito estero statunitense e le crescenti richieste di conversione in oro stavano prosciugando le riserve auree degli Stati Uniti. Nell'agosto del 1971 il presidente Nixon annunciò il blocco della convertibilità dei dollari in oro, provocando la fine del sistema. Le monete presero a fluttuare liberamente sui mercati, inaugurando un periodo di forte instabilità nel corso dei tassi di cambio.

La guerra del Vietnam fu uno dei fattori piú importanti del cambiamento, anche a causa della connessa esplosione del movimento studentesco del 1968, nato originariamente negli Stati Uniti e dilagato poi nel mondo come fuoco nella prateria, mutando la cultura, la politica, i costumi di molte generazioni. Quel movimento fu il precoce segnale di un processo, poi estesosi prepotentemente a livello economico – la cosiddetta globalizzazione –, che avrebbe conquistato il pianeta negli anni Novanta.

In Italia, il Sessantotto non ebbe un effetto immediato sull'economia, ma preluse all'Autunno caldo dell'anno dopo, impensabile senza lo scrollone dato dagli studenti alla cultura autoritaria ancora predominante nelle scuole e nei luoghi di lavoro. Il movimento sessantottino contestava l'intera struttura sociale capitalistica perché ritenuta globalmente responsabile dell'ingiustizia e dell'oppressione. Nei fatti determinò in Italia la conquista dei diritti civili e sociali di cittadinanza altrove già acquisiti. Fallí tuttavia nella promozione di una cultura della responsabilità all'altezza dei cambiamenti da esso stesso prodotti.

L'Autunno caldo avviò la lunga stagione delle spallate salariali, con aumenti delle retribuzioni che eccedevano di varie volte l'incremento della produttività: dal 1969 al 1973 i salari reali nell'industria aumentarono di un terzo, l'inflazione sfiorò il 30 per cento. L'accelerazione del costo del lavoro nell'industria manifatturiera superò di gran lunga quella, pur considerevole, degli altri Paesi avanzati[14]. Vi si accompagnarono nelle grandi fabbriche episodi di conflittualità – non privi a tratti di forme di luddismo da parte soprattutto di giovani operai immigrati meridionali – che non erano piú stati sperimentati dal «Biennio rosso» seguito al primo conflitto mondiale, quando per un attimo la rivoluzione socialista parve ipotesi concreta. Agli imprenditori venne sottratto il pieno controllo del processo produttivo nelle grandi fabbriche.

Nel 1973, a seguito della guerra arabo-israeliana dello Yom Kippur, il prezzo del petrolio quadruplicò, si costituirono ingenti depositi di dollari sul circuito bancario internazionale (i cosiddetti petrodollari, frutto della rendita petrolifera dei Paesi dell'Opec – Organizzazione dei Paesi Esportatori di Petrolio), si affermarono le grandi banche d'affari, si innescarono fenomeni speculativi di dimensione fino ad allora sconosciuta che concorsero in misura determinante ai dissesti bancari degli anni Settanta. Il rincaro traumatico del petrolio dava ulteriore·impulso all'inflazione e al degrado dei conti con l'estero dell'Italia, sollecitando una riorganizzazione dell'intera struttura produttiva che riducesse il fabbisogno di energia. Nel 1975 si registrò la prima contrazione del Pil dal dopoguerra (meno 2 per cento). Unica tra le economie dei Paesi avanzati, quella italiana si trovò a dover sostenere contemporaneamente uno shock esterno, il balzo dei prezzi del petrolio, e uno di origine interna, l'impennata del costo del lavoro.

Gli effetti del disordine finanziario internazionale furono da noi maggiori perché le regole che disciplinavano i mercati e gli intermediari finanziari erano arretrate, complessivamente inadeguate alle nuove condizioni.

L'impatto degli shock fu moltiplicato dalle fragilità del sistema politico e sociale sopra menzionate: troppo esili erano gli argini politici condivisi capaci di contenere gli shock e di agevolare la ricomposizione degli equilibri macroeconomici. Dopo la recessione del 1975 si accentuò il processo di destabilizzazione. La necessità di smorzare le acute tensioni sociopolitiche si riflesse in un'intonazione espansiva della politica economica che scongiurò, sí, una crisi produttiva dalle conseguenze imprevedibili, ma favorí un rapido deprezzamento del cambio e l'avvitarsi della spirale inflazionistica. In presenza di una forte opposizione sociale e politica arroccata sulla linea del salario come «variabile indipendente», essi non poterono essere contrastati con una politica dei redditi. Si iniziò a colmare disordinatamente il grave ritardo storico del Paese nel sistema di *welfare* (sistema previdenziale e sanitario in primo luogo); mancò però una prospettiva politica capace di governare questo recupero lungo linee coerenti e rispettose dei vincoli di bilancio nel medio periodo, soprattutto a causa delle difficoltà a stabilire le priorità nel contenimento di altre voci di spesa e per via dei freni, anch'essi di natura politica, a innalzare la pressione fiscale. Il *welfare* fu dunque costruito aumentando il debito, piuttosto che redistribuendo le risorse[15]. In un decennio il debito pubblico, rimasto al di sotto del 40 per cento in rapporto al Pil sino alla fine degli anni Sessanta, salí al 60 per cento. L'attuazione dell'ordinamento regionale senza un'assunzione di responsabilità fiscale da parte degli enti appena costituiti aggravò questa deriva.

Il governo dei conti pubblici fu ostacolato dalla diffusione tra i ceti intermedi di un corporativismo conflittuale di tipo nuovo, che si manifestò in forme anche selvagge[16]. Vi si associarono massicci trasferimenti di denaro dallo Stato alle imprese, grandi e piccole, private e pubbliche, estesi spesso a quelle inefficienti. Gli investimenti finanziati con i soldi pubblici venivano frequentemente ripartiti secondo le reciproche convenienze:

> Ognuna delle fazioni di cui si componeva il governo volle una sua provincia industriale e finanziaria. E le iniziative di investimento scelte da ciascuna di queste spesso si indirizzarono verso gli stessi settori, procedendo a creare, col pubblico denaro, nuova capacità produttiva in impianti concorrenti gli uni con gli altri, oltreché con impianti esteri[17].

Ha notato giustamente Pietro Scoppola:

> Le imprese [...] sono state pronte a chiedere la socializzazione delle perdite, favorite in questo dai sindacati in lotta contro i licenziamenti e dalla cultura cattolico-sociale [...] Uno sterminato esercito di statali si è sindacalizzato, si è assicurato spazi di libertà e di impunità che hanno consentito un secondo lavoro, ha cercato benessere e consumi ma fuori di ogni logica di responsabilità e rischio [...] Si sono creati circuiti di consenso e di potere che hanno coinvolto maggioranza e opposizione, sindacati, partiti politici e istituzioni, in un sistema sempre piú corporativo e consociativo[18].

Nella stessa vena si è espresso Giulio Bollati:

> La battaglia [il Sessantotto, N.d.A.], sommandosi alla grande offensiva sindacale del '69, si risolse in una incentivazione senza precedenti del corporativismo piccolo-borghese, che rifluí poi largamente nelle forme della vita, nei rapporti, nelle manifestazioni del pensiero[19].

La tendenza alla deresponsabilizzazione e alla implicita disillusione verso la classe politica aveva molte sfaccettature e investiva grandi questioni, da tempo in vari modi oggetto delle riflessioni sulla storia dell'Italia unita[20]. Ma agivano su di essa anche fattori nuovi. Lo straordinario sviluppo dei primi vent'anni postbellici aveva prodotto, non solo in Italia, una «mobilitazione individualistica»[21] che allentava i vincoli posti da un confronto con la realtà in nome di aspirazioni materiali che parevano ormai quasi raggiungibili *hic et nunc*. Dopo il Sessantotto questa tendenza, se da un lato veniva radicalmente criticata come espressione del consumismo delle società capitalistiche mature, dall'altro attingeva nuova linfa sotto differenti aspetti: «Per molti giovani, il "principio di realtà" è stato detronizzato e la linea di demarcazione con "il principio di piacere" è divenuta labile»[22]. Luciano Cafagna ha creato al proposito un'efficace metafora cinematografica: «La nuova filosofia era che non bisognasse arrendersi all'"esistente", come non si arrendono a questo i giocatori della celebre partita di tennis, senza palle né racchette, con cui si conclude *Blow-Up*, il film di Michelangelo Antonioni»[23]. In termini piú strettamente politici, Giuseppe Vacca aggiungeva che in Italia i movimenti animati dai nuovi soggetti emersi negli anni Settanta «non vennero inquadrati nella formazione di un blocco riformatore e non superarono mai il corporativismo delle origini»[24].

Se prescindiamo dai gruppi terroristici, non trascurabili sotto il profilo politico ma poco rilevanti per l'orientamento di vasti strati giovanili, vigeva una «spontanea linea strategica nell'evitare un confronto sul concreto»[25]: un egualitarismo edonistico ma non privo di un certo rancore, in nome del quale giustificare in realtà il prevalere di atteggiamenti individualistici e un'insensibilità verso i valori civici.

> Proviamo allora a chiederci quali sono le costanti, i codici, i protocolli primi attorno ai quali – negli anni Settanta – ruota la cultura di un qualsiasi giovane «autonomo» [...] Anzitutto un acuto senso di irresponsabilità, l'idea che si può predicare senza agire e agire senza predicare, che nessuno paga mai per nulla, che non si deve rendere conto a nessuno del proprio operato,

ha notato Silvio Lanaro, che ha attribuito, seguendo lo stesso filo di pensiero di Carli, tali atteggiamenti anche agli effetti della «ritirata storica della borghesia, [del] suo ripiegamento sul "privato", [della] sua indifferenza per la *res publica* e [della] sua visione del potere in termini esclusivi di immunità»[26].

Come combattere in queste condizioni l'indifferenza verso la difesa del valore del bene comune contro l'attacco di gruppi affaristici e clientelari?

Fra il 1975 e il 1980 la degenerazione dei rapporti fra politica e affari venne clamorosamente alla luce con lo scandalo

Lockheed (1975), con il secondo scandalo dei petroli (1980) e
con l'affare Eni-Petromin (1979), in cui il ruolo di mediatore
essenziale fu svolto da Licio Gelli. La loggia massonica P2
divenne il centro occulto di reti trasversali estese oltre ogni
limite allora immaginabile (il «consorzio dei circoli», secondo una felice espressione di Emanuele Macaluso)[27], il cui potere inquinante era

> [...] ormai radicato profondamente in ampi e decisivi settori della dirigenza
> politica e nei gangli piú delicati della vita pubblica, onde le ambivalenze con-
> sociative del sistema politico italiano, con i loro sistemi di alleanze trasver-
> sali tra governo e opposizione, comportano ormai l'inevitabile sussunzione e
> copertura di queste prassi sub-istituzionali a carattere illegale, se non palese-
> mente criminale, comunque di un istituzionalizzato uso illegale dei poteri
> pubblici[28].

Scemava rapidamente la capacità di governo di un potere
politico che si manifestava ora soprattutto come interazione
sempre piú patologica di forze in contrasto fra loro. Si accentuò la debolezza della cultura repubblicana nata a fatica
dopo la Liberazione.

Caso unico tra i Paesi democratici, in Italia negli anni
Settanta si manifestarono fenomeni eversivi di gravità inau-
dita, cui non furono estranei i servizi segreti, ormai disarti-
colati lungo linee di frattura fazionarie e sempre piú affida-
ti nella gestione dei loro equilibri alla mediazione delle consorterie, in primo luogo della P2. Ma vi fu anche dell'altro.
I comportamenti eversivi si diffusero a livello di massa; l'attacco terroristico raggiunse il suo apice nella seconda metà
del decennio: nel 1975-79 le vittime di agguati terroristici
furono quasi novanta, innumerevoli gli attentati, centinaia
i feriti. Con il rapimento e l'uccisione di Moro e della sua
scorta i rischi di destabilizzazione si fecero drammatici. Sullo sfondo, incombeva lo status di «democrazia speciale»
dell'Italia, a maggior ragione da quando i rapporti di forza
nel Paese rischiavano per la prima volta dopo la guerra di
non essere piú coerenti con la frattura che spaccava l'Europa lungo la Cortina di ferro.

La criminalità organizzata acquistò nuovo e micidiale slancio mutuando, soprattutto con la fazione corleonese di Cosa
Nostra, la strategia militarista adottata dal terrorismo. Ma
la potenza mafiosa profittava anche dello sbandamento del

Paese nel senso piú ampio del termine, facendo leva sulle debolezze della politica, sempre piú collusa con gruppi d'interesse di varia natura, da cui pretendeva ora una sostanziale subordinazione:

Nel momento in cui la società in generale cessa di essere rigidamente ordinata per censo e per *auctoritas* la mafia comincia a pensare che nessun coperchio possa sovrastare ciò che bolle nel suo pentolone, e alla fine l'organizzazione prova a trasportare il *network* al proprio interno, a subordinare a se stessa ogni interlocutore esterno, affarista o politico che sia[29].

Di questo tragico disordine in cui era precipitato il Paese, Michele Sindona divenne una delle massime espressioni.

---

[1] Ciocca, *Ricchi per sempre?*, pp. 239-49.

[2] Craveri, *La Repubblica dal 1958 al 1992*, p. 71; la testimonianza del presidente della Repubblica dell'epoca Giovanni Gronchi riportata in Radi, *Tambroni trent'anni dopo*, p. 129; Cooke, *Luglio 1960. Tambroni e la repressione fallita*, pp. 122-27; Gorresio, *L'Italia a sinistra*, pp. 121-34.

[3] G. Carli, *Cinquant'anni di vita italiana*, p. 294. Sull'atteggiamento di Carli nei confronti dei socialisti e in particolare di Lombardi, cfr. Gigliobianco, *Via Nazionale, Banca d'Italia*, p. 305.

[4] Magnani, *Alla ricerca di regole nelle relazioni industriali*, in F. Barca (a cura di), *Storia del capitalismo italiano*, pp. 501-44.

[5] Marchetti, *Diritto societario e disciplina della concorrenza*, ibid., pp. 482-85.

[6] Franzinelli, *Il Piano Solo*, pp. 82-100.

[7] G. Carli, *Cinquant'anni di vita italiana*, p. 304.

[8] Amato, *Economia, politica e istituzioni in Italia*, pp. 24-30; Salvati, *Occasioni mancate*, pp. 9-34.

[9] Scoppola, *La repubblica dei partiti*, pp. 279-312; Ciocca, Filosa e Rey, *Integrazione e sviluppo dell'economia italiana*.

[10] Crafts e Magnani, *L'Età dell'Oro e la seconda globalizzazione*, in Toniolo (a cura di), *L'Italia e l'economia mondiale dall'Unità a oggi*, pp. 97-146; Crainz, *Il paese reale*, pp. 3-15.

[11] F. Barca, *Compromesso senza riforme nel capitalismo italiano*, in Id. (a cura di), *Storia del capitalismo italiano*, pp. 3-116.

[12] Citato in Varvaro, *La politica al tempo di Merzagora*, in De Ianni e Id. (a cura di), *Cesare Merzagora*, p. 444.

[13] *Ibid.*, p. 443.

[14] Filosa e Visco, *Costo del lavoro, indicizzazione e perequazione*, in Nardozzi (a cura di), *I difficili anni '70*, pp. 107-39.

[15] Rossi, *La politica economica italiana*, pp. 3-26; Cafagna, *La grande slavina*, pp. 30-39.

[16] Crainz, *Il paese reale*, p. 14.

[17] De Cecco, *Splendore e crisi del sistema Beneduce*, in F. Barca (a cura di), *Storia del capitalismo italiano*, p. 402.

[18] Scoppola, *La repubblica dei partiti*, p. 295.

[19] Bollati, *L'italiano*, p. 204.

[20] Ciocca, *Ricchi per sempre?*, pp. 347-74; Pezzino, *Senza Stato*, pp. 3-34.

[21] Pizzorno, *Le trasformazioni del sistema politico italiano*, in F. Barbagallo (a cura di), *Storia dell'Italia repubblicana*, vol. III, t. II, p. 305.

[22] Bodei, *L'ethos dell'Italia repubblicana, ibid.*, p. 677.

[23] Cafagna, *La grande slavina*, p. 90.

[24] Vacca, *Ven'anni dopo*, p. 13.

[25] Bodei, *L'ethos dell'Italia repubblicana*, p. 678.

[26] Lanaro, *Storia dell'Italia repubblicana*, pp. 422-23.

[27] Macaluso, *I santuari*, p. 89.

[28] Craveri, *La Repubblica dal 1958 al 1992*, p. 786.

[29] Lupo, *Storia della mafia*, p. 313.

Capitolo secondo
Miracolo: a Milano, a San Pietro

Aveva ventisei anni, Michele Sindona, quando scese dal treno alla stazione di Milano nell'agosto del 1946. Era un promettente fiscalista di Patti, antica cittadina in faccia al Tirreno nei pressi di Messina. Un emigrante, dunque, come le centinaia di migliaia che lo seguirono, non molti anni dopo, con le loro valigie di cartone. Milano assorbí da sola la metà di tutti i movimenti migratori interni: al culmine del miracolo economico, nel 1960-62, arrivarono oltre 230 000 persone.

A Milano Michele non conosceva quasi nessuno, solo un cugino che commerciava materiali elettrici. La famiglia, un tempo benestante, era caduta anni addietro in disgrazia, pare per le dissennatezze del padre. Negli ultimi anni della sua vita, in carcere, Sindona descrisse con ampiezza di particolari le ristrettezze economiche della sua giovinezza, ricostruendo la storia di un uomo che grazie alla volontà e al talento era riuscito a rovesciare un destino di miseria e di umiliazioni[1]. Non gli difettavano né l'intelligenza né l'intraprendenza. Dopo essersi maturato, raccontava, aveva vinto una borsa di studio – evento raro soprattutto nel Sud, dove pochissimi giovani riuscivano a frequentare l'università – per laurearsi in legge a Messina (nel 1973 a un giornalista americano diede però, come spesso gli accadeva, una versione diversa, secondo la quale avrebbe amministrato gratuitamente la Casa dello studente in cambio di vitto e alloggio)[2]. Nel caos seguito allo sbarco degli Alleati nel luglio del 1943 Michele aveva fatto il borsaro nero: trasportava con un camion agrumi – abbondanti nella provincia di Messina – in Sicilia occidentale, e li scambiava con grano e legumi che rivendeva dalle sue parti, dove la domanda eccedeva di molto la produzione locale. L'incontro con gli americani fu importante perché lo persuase definitivamente che avrebbe sprecato i suoi talenti rimanendo nella «babba» e pigra Messina.

Nel 1946 Milano mostrava tutte le ferite della guerra. Tre quarti delle case entro i Navigli erano stati distrutti, centomila i senzatetto. Il vento del Nord si era posato, ma non era ancora girato in scirocco romano. I consigli di gestione nati dalla Liberazione contendevano il controllo delle grandi fabbriche agli imprenditori. In Italia gli equilibri politici erano ancora in bilico. A Milano socialisti e comunisti avevano conquistato alle elezioni per la Costituente quasi il sessanta per cento dei voti. In un clima da resa dei conti, gruppi di ex partigiani – tra cui spiccava la Volante Rossa – continuavano a far fuori i fascisti. Gli sbandati alimentavano il banditismo. A San Vittore, divenuta una sorta di Tortuga nel cuore della città, a Pasqua scoppiò una rivolta che solo i cannoni dei bersaglieri riuscirono a stroncare. La ricostruzione era però già dietro l'angolo, sospinta da una «febbre del fare» che non riguardava solo gli aspetti materiali, ma anche la cultura, l'ambizione di diventare il centro della vita del Paese. In aprile era stata fondata Mediobanca, che divenne nel giro di pochi anni l'unica vera banca d'affari italiana. La dirigeva Enrico Cuccia, siciliano come Sindona e suo futuro acerrimo nemico.

Milano era la prima città industriale d'Italia ma non aveva l'impronta fordista di Torino, dominata dalla Fiat. Accanto a grandi aziende come Edison, Montecatini, Pirelli, Innocenti fioriva una miriade di piccole e piccolissime imprese, vivaio di un'imprenditoria infaticabile. Al di là della variabilità dimensionale nell'industria, articolata era anche la stratificazione sociale, con una forte presenza di professionisti e commercianti.

Sindona raccontò nel 1975:

> Per uno che veniva da Messina [...] Milano era qualcosa di eccezionale che andava al di là della possibilità di comprenderla. Ma capii che tutto quello che mi ero portato dalla Sicilia, studi e concezioni, non sarebbe bastato. Mi iscrissi alla Bocconi, che però non frequentai mai perché nel frattempo i professori di quella università erano diventati miei amici e sarebbe stato di cattivo gusto presentarmi agli esami da loro. Cominciai a studiare da solo, ad amare i bilanci, frequentare amici e colleghi molto piú preparati di me³.

Perché proprio i bilanci?

I numeri mi affascinano. Questo lo devo allo Zappa che mi ha fatto capire come ci sia differenza tra ragioniere e ragioniere. È vero, c'è il ragioniere che registra le cifre. Ma c'è quello che le interpreta. Che oltre alle cifre vede qualcosa. Quello che mi affascina in un bilancio è quello che c'è dietro.

Gino Zappa è stato il padre nobile, sobrio e appassionato, della scienza contabile italiana, nonché il maestro di Pasquale Saraceno, l'economista cattolico protagonista della programmazione e dell'intervento straordinario nel Mezzogiorno. Entrambi figure lontane dagli orizzonti di Sindona. La citazione è dunque sorprendente, ma giova rammentare che nel 1975, imputato di bancarotta fraudolenta negli Stati Uniti e in Italia, Sindona era piú che mai impegnato a riabilitare la propria immagine. È vero, sapeva leggere molto bene tra le righe dei bilanci, ma anche tessere utili conoscenze all'Ufficio delle imposte ed escogitare nuovi modi di eludere il fisco, doti che condivideva con pochissimi e che lo rendevano prezioso ai suoi clienti. Ciò gli bastò per farsi rapidamente un nome tra la borghesia meneghina.

Nei primi mesi lavorò come associato nello studio di un commercialista assai ben introdotto, Raul Baisi. Presto aprí un proprio studio, grazie anche ai clienti che gli passava Tito Carnelutti, il cui padre Francesco, insigne giurista e uno dei maggiori avvocati italiani dell'epoca, era titolare del piú importante studio di Milano. Sindona scriveva autorevolmente di problemi fiscali sul «Commercio Lombardo», organo dell'Unione commercianti, grazie all'interessamento del presidente Giuseppe Colombo, anche lui siciliano, che lo raccomandò alle associazioni professionali per le loro pratiche fiscali. Offriva, insomma, servizi essenziali ai tanti che con milanese dinamismo stavano fondando le aziende che furono poco dopo tra le protagoniste del miracolo economico.

Per Sindona l'èra dell'emergenza finí presto, cosí come la separazione dalla famiglia: lo raggiunsero la moglie Caterina, l'adorata nonna Nunziata e la piccolissima Maria Elisa, la prima di tre figli. Lo studio professionale fu un ottimo punto di partenza, perché la commistione fra patrimoni familiari e aziendali – un tratto distintivo del capitalismo italiano, particolarmente a Milano – rendeva ieri come oggi gli studi legali luoghi cruciali di mediazione per gli affari degli imprenditori.

Con Baisi compí nel 1952 il suo primo viaggio nel Paese che ammirava di piú, gli Stati Uniti d'America. Subito dopo Sindona iniziò a rappresentare società americane in Italia, forse – si sospetta, ma senza evidenze certe – anche grazie all'interessamento di ambienti mafiosi. Il legame con gli Stati Uniti fu decisivo per Sindona, non soltanto per gli affari. L'avvocato siciliano era un liberista convinto: ammirava Milton Friedman, il fondatore del monetarismo, una scuola conservatrice di pensiero economico che avrebbe scalzato negli anni Settanta il predominio di quella keynesiana. Per di piú, Sindona era un anticomunista a tutto tondo, dunque in piena sintonia con la politica statunitense in quegli anni di guerra fredda.

Tramite Baisi, Sindona conobbe Franco Marinotti, l'imprenditore che guidava Snia, il maggior gruppo italiano (e uno dei piú rilevanti su scala mondiale) nel comparto delle fibre artificiali. L'avvocato siciliano entrò con lui in ottimi rapporti, vendendo con successo i brevetti di Snia negli Stati Uniti. Fece amicizia anche con Anna Bonomi Bolchini, l'intraprendente immobiliarista, poi sua socia in affari, figlia di un imprenditore edile e di una portinaia. Era una sorta di *madame sans-gêne*[4], sboccata quasi quanto Raffaele Mattioli, l'ormai leggendario amministratore delegato della Banca Commerciale Italiana, già braccio destro di Jósef Toeplitz, il capo della banca sino al 1933, quando a seguito della crisi bancaria degli anni Trenta l'appena costituito Iri (Istituto di ricostruzione industriale) ne assunse il controllo. Anche Gianni Trotta, un altro immobiliarista milanese, e il marchese Arturo Doria divennero suoi clienti e soci. Ma le sue relazioni non finivano qui. Era anche consulente di Giorgio Valerio, consigliere delegato di Edison, la maggiore azienda elettrica del Paese, il quale – a dispetto del suo modesto calibro manageriale – fungeva da punto di riferimento della grande imprenditoria lombarda, e di Renato Faina, il capo di Montecatini, la piú importante azienda chimica privata italiana, destinata nel 1966 a fondersi con Edison sotto la regia di Cuccia. Insomma, i rapporti che l'avvocato di Patti aveva saputo tessere erano del massimo riguardo.

Come molti altri, Sindona investí parte dei suoi copiosi guadagni nella speculazione immobiliare, uno degli affari piú lucrosi del dopoguerra anche a Milano, dove le distruzioni avevano generato un clima favorevole all'attività edilizia, senza badare troppo alle compatibilità urbanistiche. Sindona iniziò presto anche a comprare imprese: nel 1949 acquistò Farmeuropa, alla cui guida mise il padre Antonino per tenerlo occupato. L'anno successivo acquisí Fasco, minuscola società finanziaria del Liechtenstein, che divenne anni dopo il perno del suo impero. Non disdegnava peraltro incursioni in ambiti mondani, ad esempio San Giorgio Film, un modo piacevole per entrare in contatto con la bella società. Acquisí un'azienda metallurgica, le acciaierie Vanzetti, che cedette poco dopo alla Crucible Steel of America, una delle principali produttrici mondiali di acciai speciali, in cambio di azioni della società, che rivendette poco dopo ricavandone un sontuoso profitto. Fu questa l'occasione in cui l'avvocato siciliano conobbe Dan Porco, un *brasseur d'affaires* controverso e in odore di mafia, che lasciò la Crucible per passare stabilmente ai suoi servizi, divenendo il suo principale collaboratore negli Stati Uniti.

«Non sapevo come si costruisce un muro, ma sapevo come si incrociano gli interessi», ricordò anni dopo Sindona. Era vero. Non fu mai un imprenditore, un industriale. Era un *trader* che comprava e vendeva, uno speculatore, spinto però da un'ambizione che altri professionisti, pur vicini come e piú di lui al potere economico e finanziario, non possedevano in egual misura.

Nel 1960 Sindona compí il passo che segnò il suo destino, divenendo un banchiere. Per un *outsider* non era facile. Con il 70 per cento dell'attivo complessivo del settore bancario, le banche a controllo pubblico erano dominanti: fra le maggiori, oltre alla Banca Nazionale del Lavoro, nata nel 1929, spiccavano il Banco di Roma, la Banca Commerciale e il Credito Italiano (le banche di interesse nazionale), passate sotto il controllo dell'Iri all'inizio degli anni Trenta. La riforma bancaria del 1936 aveva separato banca e impresa (perché la loro commistione era stata la causa prima della crisi bancaria) e introdotto una specializzazione funzionale del credito, da allora distinto in credito a breve e credito a lungo termine. Le banche si indebitavano a breve con le famiglie e prestava-

no a lungo alle imprese tramite gli istituti di credito speciale, dando luogo alla cosiddetta «doppia intermediazione»[5].
Vi si affiancava una netta segmentazione territoriale dei
depositi e degli impieghi. Per tutelare la stabilità del sistema,
la Banca d'Italia imponeva limiti alla concorrenza, utilizzando discrezionalmente i vincoli amministrativi, ad esempio in
relazione alle richieste di apertura di sportelli[6]. Esercitava al
contempo un'intensa e autorevole opera (moral suasion) di
orientamento delle scelte dei banchieri. In questo contesto
rigidamente definito, entrare nel mercato bancario richiedeva un'inventiva particolare: occorreva procurarsi alleati,
rassicurare l'istituto di emissione, ritagliarsi gli spazi necessari per crescere.

Sindona iniziò con scaltrezza e lungimiranza. Fondata nel
1930, la Bpf, una piccola ed esclusiva banca privata milanese
con meno di venti miliardi di depositi (la Banca Commerciale
ne aveva piú di mille), era posseduta dall'ex agente di cambio Ernesto Moizzi, uomo di fiducia di Marinotti. Moizzi,
anziano e senza figli desiderosi di seguirne le orme, decise di
liberarsene e pregò Sindona di sondare un eventuale interesse
dello Ior, la banca vaticana. Sindona volle entrare in proprio
nell'operazione come socio di minoranza, offrendo allo Ior la
partecipazione maggioritaria e a Marinotti la residua quota di
capitale. Amministrava all'epoca l'istituto vaticano Massimo
Spada. Romano, ben addentro al mondo bancario (suo nonno
era stato il banchiere dei Torlonia, una storica famiglia della
nobiltà nera di Roma), Spada – dal 1929 all'Amministrazione delle Opere di Religione – sedeva in decine di consigli di
amministrazione di imprese e istituti bancari, forte della sua
formidabile rete di conoscenze nel mondo finanziario italiano e internazionale. Fu lui, prima dell'ascesa di Paul Marcinkus – il monsignore originario di Chicago posto nel 1971
da Paolo VI a capo dello Ior – l'interlocutore principale di
Sindona in Vaticano. Spada accettò l'offerta.

Il presidente dello Ior, il cardinale Di Jorio, però si oppose. Dietro l'atteggiamento dell'anziano cardinale romano si
nascondeva, come spesso nel ristretto ambiente curiale, l'in-
vidia nei confronti di un uomo importante in Vaticano che
non aveva bisogno di lui per essere ascoltato dal pontefice. A

sentire Sindona, gli attriti fra i due erano esplosi in occasione del rifiuto del cardinale di elargire un contributo a monsignor Giuseppe De Luca per completare il suo monumentale *Archivio italiano per la storia della pietà*. Il sacerdote era un eminente intellettuale cattolico amico di Spada, a suo tempo stimatissimo da De Gasperi e particolarmente attento ai rapporti con l'ambiente gravitante intorno a Franco Rodano, l'ascoltato filosofo cattolico-comunista in contatto con il segretario del Pci Palmiro Togliatti e poi soprattutto con Enrico Berlinguer. Spada si era allora rivolto con successo al Credito Lombardo, una delle banche vicine allo Ior. Appreso questo, sempre secondo Sindona, Di Jorio non solo impose a Spada di restituire il prestito che era stato concesso dal Credito, ma per soprammercato ingiunse al banchiere di liberarsi del pacchetto di controllo della Bpf, che Sindona acquistò nell'ottobre del 1960. Ancora non pago, il cardinale approfittò dell'occasione per giubilare Spada per raggiunti limiti di età, anche se questi rimase naturalmente l'eminenza grigia dell'istituto. Se la vicenda è vera, che un anticomunista *ante litteram* come Sindona combattesse il nemico di uno dei sacerdoti all'epoca piú aperti verso la sinistra come monsignor De Luca, appartiene alle non infrequenti bizzarrie della storia.

Perché Moizzi si rivolse proprio a Sindona per l'abboccamento con lo Ior?

A suo dire[7], l'avvocato siciliano entrò nelle grazie dell'arcivescovo di Milano Giovanni Battista Montini negli anni Cinquanta, perché lo aveva aiutato a contrastare le iniziative promosse nelle fabbriche milanesi da Pietro Secchia (a suo tempo potente vicesegretario del Partito comunista, fautore di una linea politica piú estrema di quella togliattiana, che era caduto in disgrazia nel 1954 e retrocesso a segretario regionale della Lombardia) e perché aveva sostenuto finanziariamente le iniziative sociali della diocesi affidata al futuro Paolo VI.

La sua versione non è implausibile. Montini aveva una spiccata sensibilità per le manifestazioni del moderno, convinto che il senso religioso non dovesse negarle; ma sotto il profilo strettamente politico in quegli anni era un intransigente, al punto da avversare nel 1960 la prima, sperimentale, esperienza di centrosinistra sorta a Milano.

Altre testimonianze concordano sui precoci contatti fra i due[8]. Don Pasquale Macchi, l'influente segretario particolare dell'arcivescovo e poi del papa, che fu il principale sponsor dell'ascesa di Marcinkus[9], lo ha tuttavia negato categoricamente[10]. Nelle agende di Montini relative agli anni milanesi recentemente pubblicate da Giselda Adornato[11] – ma previamente ordinate da Macchi – il nome di Sindona in effetti non figura. Assodato pare invece il canale attraverso cui l'avvocato di Patti entrò in contatto con lo Ior: monsignor Tondini, parente di una cugina, lo accreditò presso Massimo Spada, che nel 1978 ricordò cosí quel primo incontro.

> Una mattina della primavera 1968 [*recte* 1958] ricevetti nel mio ufficio un giovane avvocato siciliano da anni trasferito a Milano, Michele Sindona. Costui mi aveva esibito una lettera di presentazione del noto latinista curiale, monsignor Amleto Tondini [...] Sindona dapprima mi illustrò la sua attività, precisando di avere tra i clienti grossi nomi della finanza italiana, poi mi chiese una commendatizia per Guglielmo Di Consiglio, direttore del Banco di Roma per la Svizzera [l'istituto nato nel 1947 dalle ceneri della filiale luganese del Banco di Roma, posseduto per il 49 per cento dallo Ior e per il 51 per cento dal Banco, *N.d.A.*], di cui conosceva i rapporti con lo Ior. Il contatto – mi spiegò – gli occorreva per definire le pratiche di un cliente. Appena rimasto solo, chiamai i personaggi che quel giovane magro e nervoso, dotato di una scintillante conversazione, aveva menzionato quali suoi clienti e amici. Chiamai Franco Marinotti, il padrone della Snia Viscosa, il maggior gruppo industriale tessile; poi Giorgio Valerio e Carlo Faina, rispettivamente a capo della Edison e della Montecatini, i quali si espressero favorevolmente nei confronti di Sindona[12].

La testimonianza di Spada bene illustra la reputazione di cui Sindona godeva tra i maggiori industriali italiani. Sui motivi per cui l'avvocato siciliano preferí bussare alle porte dello Ior tramite un lontano parente piuttosto che grazie agli uffici dell'arcivescovo di Milano, possiamo fare solo illazioni. Forse i suoi rapporti con Montini erano meno stretti di quanto abbia voluto far intendere dopo, o forse la sua decisione era il frutto di un calcolo sugli equilibri interni al Vaticano.

Per comprendere appieno l'importanza per il neobanchiere di un rapporto preferenziale con lo Ior, occorre rammentare succintamente il ruolo dell'istituto nella finanza italiana.

Con la costituzione del Regno d'Italia, nel 1861, lo Stato pontificio perse gran parte dei propri territori, ristrettisi al solo Lazio, e oltre metà delle proprie entrate tributarie. Nacque in quell'occasione il cosiddetto Obolo di San Pietro, costituito dalle donazioni al pontefice da parte dei cattolici di tutto il mondo, che dopo la presa di porta Pia rimase l'unica – sia pur tutt'altro che trascurabile – fonte di finanziamento della Santa Sede. Grazie al contestuale crollo delle uscite, emerse un avanzo di bilancio. Nel 1887 Leone XIII creò l'Amministrazione Opere di Religione *ad pias causas* con il compito di gestire l'Obolo.

Nel 1929 gli indennizzi versati dallo Stato italiano per effetto dei Patti Lateranensi – 1750 milioni di lire di cui 750 in contanti, una cifra pari a circa l'un per cento del Pil italiano dell'epoca – fornirono la massa critica per l'espansione della finanza vaticana. Pio XI chiamò il conterraneo Bernardino Nogara alla guida della neoistituita Amministrazione speciale delle Opere di Religione della Santa Sede, deputata a far fruttare quei denari.

L'ingegner Nogara era figura di rango della finanza italiana, banchiere di razza di provatissima famiglia cattolica, originario di Bellano, vicino a Como. Con lui la finanza moderna entrò in Vaticano. Data la scarsa preparazione degli ecclesiastici in materia, la nomina di un laico fu un passo inevitabile nel nuovo contesto postconcordatario. La carriera di Nogara si era svolta all'interno della Banca Commerciale di Jósef Toeplitz, dapprima come referente per gli affari orientali, dal 1925 come consigliere della banca. Uomo di fiducia di Giolitti, aveva partecipato per l'Italia ai negoziati con la Turchia sfociati nel trattato di Ouchy che concluse la guerra di Libia, durante la quale era stato nominato fiduciario del Vaticano per i Luoghi santi. Già membro delle commissioni economiche che prepararono i trattati di pace con l'Austria, l'Ungheria, la Turchia e la Bulgaria, partecipò come delegato italiano ai negoziati sulle riparazioni di guerra culminati nel 1924 nel piano Dawes.

L'avvento di Nogara emancipò le finanze vaticane dal legame storico con il Banco di Roma, sino ad allora la banca cattolica per eccellenza, salvata dal governo fascista nel 1923. Il banchiere diversificò su scala internazionale il portafoglio vaticano estendendolo alle azioni, pur scegliendo di non assumere partecipazioni di controllo.

Sotto la sua guida, negli anni Trenta la presenza vaticana nel mondo economico italiano si fece importante. Nogara e i suoi uomini sedevano nei consigli di amministrazione di innumerevoli società: fra le maggiori, Immobiliare, Italgas, Dalmine, Montecatini, Condotte, Bastogi, ma anche molte altre. Nel 1942 Pio XII istituí lo Ior, conferendogli personalità giuridica propria e separandolo cosí formalmente dallo Stato vaticano.

Subito dopo la guerra, l'istituto acquistò l'azienda tessile Maino in cambio di un vitalizio a favore del proprietario che la cedeva: l'operazione si rivelò un notevole affare economico. Nello stesso periodo, lo Ior assunse il pacchetto di maggioranza della Banca Cattolica del Veneto, divenne socio dell'industriale Carlo Pesenti – uno dei maggiori imprenditori italiani, vicino alla destra democristiana – nella Banca Provinciale Lombarda, acquistò il 30 per cento del capitale del Banco di San Gimignano e San Prospero. Nel 1947 il mitico finanziere italoamericano Amedeo Giannini, uomo partito da zero a cui il giovane Sindona guardava con autentica venerazione, offrí a Massimo Spada un posto nel Cda della Banca d'America e d'Italia, all'epoca una delle principali banche mondiali. Negli anni Cinquanta, grazie agli stretti legami con i governi centristi, la presenza vaticana nelle società italiane si estese ulteriormente[13].

Il rapporto privilegiato con lo Ior conferiva al neobanchiere – che «non aveva gli antenati», come raccontò lui stesso anni dopo – il prestigio e le reti relazionali di cui aveva assolutamente bisogno.

Quali erano invece gli interessi di Spada ad acquisire una partecipazione nella Bpf? Essenzialmente due. In primo luogo, la sia pur minuscola banca privata milanese poteva operare su tutto il territorio nazionale senza autorizzazioni ulteriori della Banca d'Italia. Inoltre, tramite la Bpf lo Ior avrebbe iniziato a superare una dimensione rimasta sotto molti profili ancora angusta, troppo caratterizzata da rapporti privilegiati con ambienti «amici» per scopi non sempre commendevoli. L'interesse dello Ior per le banche italiane aveva peraltro radici antiche. Per contrastare l'influenza delle grandi banche miste «laico-massoniche» (Banca Commerciale e Credito Italiano, create con l'apporto determinante dei capitali tedeschi), che diedero un impulso essenziale al decollo industriale italiano nell'età giolittiana, la Chiesa puntò a costituire una propria rete bancaria di riferimento. Durante il pontificato di Leone XIII, che per primo con la *Rerum Novarum* si misurò con le questioni sociali e dottrinali poste alla Chiesa dallo sviluppo del capitalismo e del movimento socialista, sorsero due istituti fondamentali per le vicende successive della finanza vaticana, il Banco di Roma e il Banco Ambrosiano. Soprattutto il secondo, creatura della borghesia cattolica lombarda, era destinato a divenire con Roberto Calvi un partner di primaria importanza dello Ior. Dopo il 1945 le banche popolari si aggiunsero alle banche cooperative e alle casse di risparmio, formando l'altro pilastro della finanza bianca.

Fino agli anni Ottanta dello scorso secolo la «grande banca», prima privata e poi pubblica dopo la crisi del 1932, è stata governata da uomini di formazione laica (Toeplitz, Mattioli e Cuccia sopra tutti). Ai cattolici era riservata la «finanza al dettaglio» – «i dettagli della finanza», secondo una caustica definizione di Mattioli – concepita, al pari delle migliaia di campanili, come braccio sul territorio necessario per contrastare le organizzazioni mutualistiche socialiste e per consolidare l'egemonia democristiana tra i contadini e i piccoli imprenditori. In questo contesto il banchiere siciliano rappresentava una risorsa preziosa per accrescere il peso della finanza cattolica.

La reciproca convenienza nel rapporto fra Sindona e il Vaticano si manifestò pienamente alla fine degli anni Sessanta. Facendo leva sul disagio crescente del Vaticano per un socio di maggioranza politicamente ormai imbarazzante, nel 1968 Sindona acquistò dalla famiglia Feltrinelli il pacchetto di controllo di una piccola ma storica banca privata milanese fondata nel 1919 da Carlo Feltrinelli, la Banca Unione (25 miliardi di depositi). Il giovane editore Giangiacomo era la figura più nota della famiglia Feltrinelli, non solo per aver pubblicato con grande successo due capolavori di quegli anni, *Il Gattopardo* e *Il dottor Živago*, ma anche per la sua convinta ed esibita militanza comunista. Lo Ior rimase socio di minoranza. In tre anni i depositi si quintuplicarono, grazie a tassi passivi sistematicamente superiori a quelli stabiliti dal cartello bancario. Ai depositanti la banca suggeriva di comprare i titoli di aziende del gruppo, innescando fenomenali spirali al rialzo.

Sempre nel 1968, il banchiere diventò a pieno titolo il finanziere del Vaticano. Nel luglio di quell'anno Giovanni Leone, a capo di un governo monocolore democristiano sorretto dall'astensione socialista e repubblicana, dichiarò nel suo discorso programmatico alla Camera che il governo non avrebbe prolungato l'esenzione del Vaticano dall'imposta sui dividendi azionari (la cosiddetta cedolare), introdotta da Mussolini nel 1942. Le somme dovute erano pari a oltre sei miliardi di lire, pari ad appena lo 0,5 per cento del disavanzo pubblico del 1968, ma il significato della decisione di Leone era essenzialmente politico. Dopo qualche esitazione, Paolo VI non ritenne di opporsi e stabilí di alienare le partecipazioni di maggioranza del Vaticano nelle aziende italiane, con l'obiettivo di investire il ricavato in Paesi ove vigesse l'esenzione fiscale per le istituzioni senza scopo di lucro. Si aggiunga che al movimento del Sessantotto partecipavano anche non pochi giovani cattolici: i timori che la Chiesa venisse messa sotto accusa per il suo ruolo «padronale» contribuirono a fugare gli ultimi dubbi. All'epoca il Vaticano controllava, fra l'altro, le Condotte d'Acqua, l'Istituto Romano dei Beni Stabili, e la Generale Immobiliare, la principale impresa immobiliare italiana. Quest'ultima, che operava anche all'estero e disponeva di un patrimonio di centinaia di miliardi, era stata nel dopoguerra la protagonista della speculazione edilizia a Roma e per questo oggetto di celebri campagne di stampa, promosse soprattutto dal settimanale «l'Espresso» (memorabile quella del 1955, *Capitale corrotta = Nazione infetta*), diretto da Arrigo Benedetti. Gli straordinari guadagni accumulati durante il boom edilizio appartenevano ormai al passato; i danni d'immagine procurati al Vaticano dalla proprietà dell'Immobiliare non erano ora neanche piú controbilanciati dai vantaggi economici.

Spada, incaricato di avviare le trattative, contattò invano diversi gruppi industriali e si rivolse infine a Sindona. La trattativa durò alcuni mesi, durante i quali Sindona ebbe il sostegno attivo di Marcinkus, che sarebbe salito di lí a poco al vertice dello Ior. Secondo una versione romanzata, smentita dal Vaticano, sarebbe stato Paolo VI in persona, deciso a liberare al piú presto il soglio di Pietro da rapporti onerosi sotto molteplici profili, a stringere in gran segreto un accordo notturno con il banchiere siciliano[14].

Alla fine Sindona – grazie a un prestito di una delle principali banche d'affari del mondo, la Hambros di Londra – divenne l'azionista di controllo della Società Generale Immobiliare e delle Condotte d'Acqua. Su richiesta vaticana rilevò anche la disastrata Ceramiche Pozzi e le Smalterie Genovesi, che rivendette poco dopo. L'accordo prevedeva un pagamento dilazionato in due anni, che il banchiere siciliano eseguí puntualmente. Essere il referente finanziario del Vaticano comportava immensi vantaggi sia nei confronti della finanza cattolica italiana sia in sede internazionale, dove poteva ora sfruttare appieno la reputazione che gli garantiva il rapporto fiduciario con la Santa Sede.

---

[1] Tosches, *Il mistero Sindona*. Questa biografia si basa in buona parte sui colloqui tra il banchiere e l'autore, svoltisi nel carcere di Voghera nel 1984-85.

[2] Cordtz, *What's behind the Sindona Invasion*, in «Fortune», XLIV (agosto 1973), traduzione dell'autore.

[3] Sindona, *Intervista*, a cura di E. Magrí, in «L'Europeo», 24 aprile 1975.

[4] Scalfari e Turani, *Razza padrona*, p. 284.

[5] G. Carli, Monti e Padoa Schioppa, *Sviluppo e stabilità delle strutture finanziarie*, in Cesarini e Onado (a cura di), *Struttura e stabilità del sistema finanziario*, pp. 211-33.

[6] Ciocca, Giussani e Lanciotti, *Sportelli, dimensioni e costi*.

[7] Tosches, *Il mistero Sindona*, p. 73; Di Fonzo, *St. Peter's Banker*, pp. 45-46.

[8] Galli, *Finanza bianca*, in cui sono menzionate le testimonianze di Pietro Secchia, Armando Cossutta e Raffaele Mattioli.

[9] Si vedano i ricordi di Massimo Spada riportati in Coen e Sisti, *Il caso Marcinkus*, p. 243.

[10] Galli, *Finanza bianca*, p. 71.

[11] Adornato, *Cronologia dell'episcopato di Montini a Milano*.

[12] Lai, *Finanze vaticane*, p. 120.

[13] *Ibid.*, pp. 29-31.

[14] Martin, *The Final Conclave*, pp. 28-33; Tornielli, *Paolo VI*, p. 488.

Capitolo terzo

Alla conquista di un impero

Torniamo al 1960. Dopo il passo indietro dello Ior imposto dal cardinale Di Jorio, Sindona si diede un orizzonte internazionale: per l'acquisizione della Bpf si rivolse alla Hambros di Londra e alla Continental Illinois di Chicago, la nona banca degli Stati Uniti per volume di depositi. Non erano scelte casuali. La Hambros era rappresentata in Italia dallo scozzese John McCaffery, già responsabile per l'Italia del Soe (Special Operations Executive), il servizio britannico ideato da Churchill per sostenere la resistenza antinazista sul continente durante la guerra. Era stato Franco Marinotti, fascista sino all'armistizio ma in seguito referente privilegiato degli Alleati, a mettere in contatto Sindona con McCaffery. Questi a sua volta lo aveva presentato a Jocelyn Hambro, presidente della banca, anche lui attivo nel Soe durante la guerra. L'incontro andò benissimo. I tre non condividevano solo un comune retroterra anticomunista, ma anche una fondamentale convergenza d'interessi: l'ambizione della Hambros di insidiare il monopolio di Mediobanca in Italia come banca d'affari serviva infatti ottimamente ai disegni di espansione di Sindona. Alla Continental Illinois l'avvocato siciliano arrivò invece tramite Dan Porco. La banca era allora presieduta da David Kennedy, una figura di rilievo degli ambienti finanziari americani, nominato nel 1968 segretario del Tesoro dal presidente Nixon nella sua prima amministrazione.

Sindona prese il controllo della Bpf; Hambros e Illinois acquistarono ciascuna il 24,5 per cento del capitale. Massimo Spada entrò nel consiglio di amministrazione. Soci di questo spessore fecero di Sindona una figura di notevole calibro su scala mondiale in grado di rivaleggiare con Enrico

Cuccia, l'unico che in Italia disponesse di un'importante rete di relazioni internazionali.

Il conflitto con Cuccia segnò la vita di Sindona. I buoni
rapporti iniziali durarono poco. Cuccia era il genero di Alberto Beneduce, il primo presidente dell'Iri, nonché artefice
del sistema finanziario e bancario sorto dalla crisi bancaria
degli anni Trenta[1]. Sotto la guida di Cuccia, Mediobanca,
fondata nel 1946 con il concorso delle banche controllate
dall'Iri (Banca Commerciale, Credito Italiano, Banco di Roma), aveva assunto sempre piú il profilo di vera e propria
banca d'affari. Il suo obiettivo principale era di assicurare la
stabilità del capitalismo italiano tramite legami strettissimi
con le maggiori imprese, di cui curava su base fiduciaria il
governo degli assetti proprietari, le strategie, la selezione degli amministratori. La convinzione profonda di Cuccia era
che il capitalismo privato italiano difettasse di imprenditori
di razza, come la stessa crisi degli anni Trenta aveva a suo
tempo mostrato. Questa tara storica si era manifestata nuovamente dopo la nazionalizzazione dell'energia elettrica: gli
indennizzi miliardari languivano alla ricerca di investimenti
produttivi, la sfiducia dei risparmiatori verso il mercato azionario si accresceva, il potere politico iniziava a ritagliarsi spazi sempre piú ampi nel sistema bancario. Secondo il capo di
Mediobanca, occorreva perciò impegnarsi in una regia illu-
minata delle strategie delle grandi famiglie, salvaguardando-
ne i patrimoni e volgendoli per quanto possibile a favore dello sviluppo.

Era questa la visione di una piccola ma non ininfluente
minoranza presente nel Paese, attenta alla difesa delle ragioni del mercato contro la crescente invadenza della politica.
Il paradosso, piú volte notato, era che quella difesa veniva
spesso attuata con metodi poco coerenti con il libero dispie-
garsi della concorrenza, pur posta come valore da tutelare.

[Cuccia] era ossessionato dall'idea che, dopo la conclusione della guerra, in un paese disastrato come l'Italia bisognasse costruire una solida rete
di aziende, malgrado i loro padroni fossero quello che erano. E di fronte a
un tale nobile obiettivo, cosa vuole che sia qualche scappellotto al mercato?
Molti padroni erano persone mediocri, alcuni invece intraprendenti, ma alle prese con il cronico problema della scarsità di capitali. Nell'un caso come
nell'altro avevano dunque bisogno di Cuccia [...]

sintetizza nel suo libro di ricordi Cesare Romiti, manager di punta del capitalismo italiano per molti anni ai vertici della Fiat e in strettissimi rapporti con Cuccia[2].

Quando Sindona apparve sulla scena milanese, il primo atteggiamento di Cuccia fu di curiosità. Chi era veramente questo avvocato siciliano portato in palmo di mano da personaggi quali Franco Marinotti e Mino Brughera (l'ex amministratore delegato del Credito Italiano), e di cui lo stesso Mattioli parlava con simpatia?

Cuccia fu colpito dall'intelligenza e dall'intraprendenza del suo conterraneo, tanto da servirsi di lui per alcuni affari concernenti la Fidia, una *holding* da lui stesso fondata e partecipata dalle maggiori imprese italiane, e da prenderlo come socio in alcune operazioni immobiliari condotte da questa società. Secondo quello che ha raccontato anni dopo Sindona – quando tra i due era ormai scoppiata una guerra aperta – il suo contributo sarebbe servito in realtà per eludere il fisco.

L'amministratore delegato di Mediobanca spiegò di aver interrotto definitivamente i rapporti con Sindona nei primi anni Sessanta quando si accorse che quest'ultimo aveva falsificato i bilanci di una società che aveva venduto alla Sofina, un'azienda petrolchimica belga. In quella circostanza Cuccia aveva speso il proprio nome per garantire la bontà del venditore ad André Meyer, che curava gli interessi della Sofina e che guidava a New York la Lazard, importante banca d'affari, legato a Cuccia da un rapporto personale e professionale che durò tutta la vita. La vicenda finí davanti alla Corte internazionale di arbitrato di Ginevra, che costrinse Sindona a restituire una parte dei denari incassati con la vendita della società.

La spregiudicatezza di Sindona si inseriva ottimamente nel contesto economico e finanziario italiano culminato nel miracolo economico. Il miracolo generò nuovi modelli di vita. Declinarono valori secolari; nacquero nuovi progetti, nuove aspettative, nuovi paradigmi acquisitivi intrecciati «a percorsi di arricchimento individuale al margine dell'illegalità, della collusione col potere politico, dell'affermarsi prepotente di nuovi modelli di conformismo»[3]. Sono fenomeni magistralmente descritti da film come *Il sorpasso* o *Una vita difficile*

di Dino Risi. In questo contesto, la sfrontatezza di Sindona
fu favorita dallo schiudersi di prospettive di guadagni senza
precedenti nella storia italiana che parevano alla portata di
tutti, anche dei piccoli imprenditori della provincia:

> Avanti popolo, la ricchezza è a portata di mano, di fallimento non si muo-
> re e se va bene va bene, il denaro circola, il disoccupato manca, le *boutiques*,
> i negozi di primizie, i fiorai sono gli stessi di via Montenapoleone e piú cari,
> gli elettrodomestici e le automobili si vendono che è un piacere[4].

Le risorse finanziarie delle imprese erano copiose, massi-
mamente nel caso delle imprese elettriche, rigonfie dei denari
degli indennizzi. Ma, nelle parole di Carli, «alcuni dei gruppi
familiari, che avevano contribuito alla creazione di imprese
bancarie, industriali, commerciali di grande risonanza, mo-
stravano propensione a cedere le aziende e la ripugnanza al
possesso di titoli azionari si estendeva»[5]. È in questo naufra-
gio della missione propria della borghesia imprenditoriale che
il banchiere siciliano trovò, sempre secondo il governatore
della Banca d'Italia, l'ambiente adatto per emergere:

> La fortuna di Sindona nasce proprio in quei primi anni Sessanta, nei
> quali le speranze della mia generazione, fattasi classe dirigente, si infrange-
> vano di fronte alle nazionalizzazioni, alla morte del mercato mobiliare, all'in-
> gerenza sempre crescente del mondo politico nella gestione delle imprese a
> partecipazione statale. Il capitalismo privato non mostrò in quella occasione
> un midollo robusto[6].

Persisteva, soprattutto nei gruppi privati, l'ostilità nei
confronti di assetti piú favorevoli alla concorrenza sui mercati, invano perseguiti dalle forze riformatrici. In particolare,
nel caso del governo societario si trattava di disciplinare quella panoplia di strumenti (azioni privilegiate, voto plurimo,
deleghe, partecipazioni incrociate, verifiche a cascata) con
cui ristrette minoranze si assicuravano il controllo[7]. Sindona
intuí le opportunità che si aprivano in questo contesto grazie
alle deficienze della normativa sulla disciplina delle società
per azioni, delle società finanziarie, dei fondi comuni d'investimento (istituiti in Italia solo nel 1983), delle offerte pubbliche di acquisto, della trasparenza dei bilanci societari: «il
non aver fatto tutto questo favorí le scorribande di un corsaro come Sindona, e pose tutti noi di fronte alle nostre responsabilità oggettive»[8]. L'unico, assai tardivo, frutto di

quella stagione maturò un decennio dopo con la riforma del mercato mobiliare e l'istituzione della Consob, propiziate nel 1974 dal fallimento del colpo di coda di Sindona con la richiesta di aumento di capitale per la Finambro, di cui si dirà piú avanti.

In un contesto economico e sociale assai favorevole, fino al 1961 la Borsa cavalcò l'onda rialzista, sospinta dalla crescita dell'economia, dalla discesa dei tassi d'interesse, dall'ottimismo degli imprenditori. Accorrevano in Borsa anche investitori esteri incoraggiati dalle prospettive d'integrazione aperte dal Mercato comune europeo, ma le figure rimaste nella storia della finanza milanese furono soprattutto personaggi come i chiacchierati *self-made men* Giulio Brusadelli e Giulio Riva (rispettivamente «Giulietto» e «Giulione») e il cattolicissimo Michelangelo Virgillito (un muratore di Paternò sbarcato povero in canna a Milano vent'anni prima di Sindona), sostenuto dalla finanza bianca e bersaglio sulle colonne del «Mondo» degli acuminati strali di Ernesto Rossi, il prestigioso antifascista che animava l'attività di quel gruppo liberaldemocratico. Erano tutti fondamentalmente dei *raiders*, le cui incursioni erano favorite dall'asfittica Borsa italiana, dove i titoli scambiati erano pochi e un pugno di persone facevano il mercato (divennero celebri, come punti di riferimento per gli operatori, il «ribassista» Aldo Ravelli e il «rialzista» Armando Signorio).

Sindona accentuò questa caratteristica della Borsa, agendo in modo ancora piú sfacciato di costoro. L'assenza di norme che obbligassero gli operatori a comunicare l'entità dei pacchetti acquistati favoriva la manipolazione del mercato, che Sindona sapeva praticare con una spregiudicatezza senza pari. Utilizzando le risorse delle sue banche, concentrava le operazioni su alcuni titoli, condizionandone direttamente le quotazioni. I prezzi venivano cosí sostenuti artificialmente fino al momento in cui decideva di vendere le azioni, ricavandone pingui profitti. Fece cosí con le Condotte, cedute all'Iri a prezzi assai piú elevati di quelli che Sindona aveva pagato al Vaticano. Rimase celebre nel 1966 la vicenda della Pacchetti – una società conciaria usata come «scatola», in cui Sindona fece confluire numerose altre aziende – la cui quotazione triplicò nel giro di pochi mesi grazie agli acquisti dei clienti della Banca Unione, circuiti a dovere. Quando il banchiere e i suoi sodali passarono all'incasso, provocarono naturalmente il crollo del titolo, con grande scorno di chi aveva creduto nelle capacità del mago della Borsa. Sindona usò questa tecnica molte volte. Finita un'operazione ne iniziava un'altra, in una giostra rutilante che incantò a lungo Milano. Ben presto in questo gioco gli si affiancarono Anna Bonomi Bolchini e Roberto Calvi, il riservatissimo amministratore delegato del Banco Ambrosiano, la seconda banca privata italiana. Insieme fecero molti soldi, a cavallo del 1970.

La concentrazione della proprietà delle società in poche famiglie e l'impiego sistematico degli strumenti sopra menzionati rendevano le azioni mezzi di controllo, di compensazione e di scambio tra i gruppi, piuttosto che di finanziamento per gli investimenti delle aziende. Emergevano società finanziarie – alcune delle quali furono pochi anni dopo il bersaglio delle scalate di Sindona – poste al servizio delle grandi imprese per scambiare partecipazioni, concedere crediti, consolidare i modelli di controllo. Spesso queste attività oscuravano la vera situazione economica e finanziaria delle società controllate, riducendo le possibilità di sviluppo di intermediari capaci di accrescere le informazioni societarie disponibili sul mercato[9].

Sebbene gli elevati profitti generati dall'impetuosa crescita venissero per lo piú trattenuti all'interno delle aziende, negli anni del miracolo l'incidenza dell'autofinanziamento sul totale degli investimenti calò: nelle prime quindici società private dal 79 al 63 per cento, fra il 1955 e il 1960. Nel 1962, all'apice del boom, a contenere l'autofinanziamento concorse la prima netta flessione dei profitti delle imprese industriali nel dopoguerra: i rinnovi contrattuali furono caratterizzati da forti incrementi retributivi. In assenza di una regolamentazione del mercato mobiliare, ne seguí un intenso attivismo delle banche sul mercato della proprietà. Mattioli notava, tratteggiando lo scenario che Sindona avrebbe ben sfruttato qualche anno dopo: «Ci sono banche piccole e non tanto piccole controllate da aziende industriali e disposte [...] ad agire un po' come *Hausbanken* e un po' come *longae manus* nella provvista di fondi e ci sono società finanziarie esenti da ogni controllo»[10].

La nazionalizzazione dell'energia elettrica modificò le condizioni del mercato finanziario. Vennero frantumati gli antichi oligopoli del settore elettrico, i piú forti del capitalismo italiano (rappresentavano il 30 per cento della capitalizzazione di Borsa negli anni Cinquanta). Ciò disorientò i risparmiatori, che erano abituati a considerare le azioni elettriche un investimento sicuro che garantiva redditi soddisfacenti e tutela dall'inflazione. Si diffuse anche il timore di provvedimenti punitivi per il risparmio. Soprattutto, gli enormi indennizzi erogati alle imprese elettriche divennero massa di manovra per operazioni di fusione rivelatesi fallimentari (paradigmatici i casi di Montecatini e Sade nel 1964 e di Montecatini ed Edison nel 1966) o andarono ad alimentare un mercato dominato ormai dalle obbligazioni, in particolare quelle emesse dal Tesoro e dai grandi enti pubblici. Il mercato azionario continuò a declinare. Le azioni e le partecipazioni nelle società scesero dal 44 per cento dello stock totale di attività finanziarie nel 1960 al 22 per cento quattro anni dopo[11]. Inariditasi questa fonte di finanziamento, si aggravò la dipendenza delle imprese dalle banche e dagli istituti di credito speciale[12].

Come valutava Sindona la situazione di quegli anni? Che posizione prendeva nel dibattito di politica economica? Elementi utili di risposta si traggono da una relazione presentata dal banchiere siciliano all'assemblea generale dell'Unione commercianti di Milano tenutasi il 2 marzo 1964, alla presenza del ministro dell'Industria, Giuseppe Medici. Erano i mesi in cui l'economia subiva gli effetti della stretta monetaria, volta a correggere lo squilibrio crescente dei conti con l'estero e ad arrestare l'accelerazione dei prezzi. Sindona si schierò, pur con qualche distinguo, contro la stretta monetaria, a causa degli esiti letali che una «politica indiscriminata di restrizione» avrebbe avuto sulle piccole e medie aziende, «l'ossatura del sistema economico», mentre le grandi imprese disponevano di strumenti economici e politici con cui impadronirsi della poca liquidità fornita dalle banche.

Il punto biograficamente interessante di questa critica, peraltro non isolata negli ambienti imprenditoriali, consiste

nell'enfasi posta sui bisogni delle piccole imprese. Rivolto a
una platea cui prospettare retoricamente il riscatto dal giogo
dei grandi potentati economici e finanziari, Sindona spaccia-
va l'ingannevole immagine di se stesso come vendicatore del
piccolo risparmiatore vittima delle manipolazioni di Borsa.
Egualmente demagogico era l'auspicio di una rapida realiz-
zazione della riforma del diritto societario, che imponesse ai
consigli di amministrazione cogenti obblighi informativi in
linea con quelli vigenti negli Usa e che rafforzasse le funzioni del collegio sindacale con il supporto di consulenti esterni:

> Siamo giunti ad un punto di rottura e se non si vuole che gli investimen-
> ti italiani e stranieri disertino completamente le nostre Borse si deve avere il
> coraggio da tutte le parti in causa di iniziare questa politica di rafforzamento
> dell'istituto di controllo in modo da farlo considerare dal fattore risparmio
> come elemento serio per un sano giudizio di valutazione e di tutela degli in-
> teressi di chi ha affidato alla società il frutto del proprio lavoro[13].

Il messaggio dichiarava l'opposto di quello che Sindona
pensava veramente. L'invocata riforma avrebbe, infatti, tar-
pato le ali alle sue operazioni, che sfruttavano proprio l'ina-
deguatezza della normativa a tutela dei risparmiatori.

Nell'intervento di Sindona si colgono anche due passaggi
del tutto strumentali: l'elogio dell'economia sociale di mercato quale terza via tra scuola liberale manchesteriana e «dog-
mi livellatori marxisti», e la proposta di promuovere concre-
tamente l'azionariato popolare, vale a dire la partecipazione
dei dipendenti al capitale dell'impresa, un tema storico del
movimento cattolico sin dagli anni immediatamente successivi alla Prima guerra mondiale. Entrambi servivano a velli-
care la sensibilità sociale cattolica. Nel secondo riecheggiava anche la proposta velleitariamente vagheggiata in quegli
anni dalla grande impresa per accrescere il volume di risorse
finanziarie disponibili[14].

Il tono complessivo dell'intervento, pur mantenendosi
di proposito su un piano esclusivamente tecnico, era critico
nei confronti dell'azione di politica economica del governo
di centrosinistra. La depressione del mercato finanziario sarebbe stata dovuta ai timori di ulteriori nazionalizzazioni e
di un «esproprio» della proprietà immobiliare prospettato
dalla riforma urbanistica in cantiere. Il banchiere esprimeva

anche gli umori degli investitori esteri, che non si sarebbero piú sentiti tutelati dall'orientamento del governo italiano. Il riferimento non era casuale: concorreva a propagare l'immagine di un uomo con importanti legami internazionali, il che era in buona parte vero.

Il 1964 fu un anno importante per le mire di Sindona. Con il supporto della banca di affari Lehman e le raccomandazioni di Mattioli, il banchiere siciliano si alleò con Paribas per lanciare un'offerta pubblica di acquisto (Opa) su una grande impresa di Chicago produttrice di cibi surgelati e inscatolati, la McNeill & Libby. L'Opa riuscí e la Libby fu poco dopo ceduta alla Nestlé, con un forte guadagno. L'acquisto lanciò Sindona negli Stati Uniti. «Time» gli dedicò un articolo colmo di lodi: «La sua inclinazione per le *joint ventures* e i partner stranieri è la chiave del suo successo finanziario; è convinto di poter battere il ciclo negativo fondando imprese in vari Paesi, coprendo le perdite di alcune, con i profitti di altre». Insomma, un uomo di genio

[...] che si rilassa leggendo Tolstoj e collezionando opere d'arte rinascimentali [...] un convinto liberista che pensa che gli uomini d'affari possano ottenere una riduzione dei dazi piú rapidamente dei diplomatici. Sostiene che quando un numero sufficiente di imprese europee saranno attive negli Usa e abbastanza imprese statunitensi faranno affari in Europa nessuno vorrà mantenere barriere al commercio[15].

Nello stesso anno il banchiere siciliano acquistò il pacchetto di controllo della Finabank, una piccola banca ginevrina fondata da imprenditori e professionisti italiani che fungeva da snodo dei flussi di capitale italiani diretti in Svizzera, in cui lo Ior deteneva una partecipazione minoritaria. Acquisí anche una banca locale, la Banca di Messina, munita di una discreta rete di sportelli nel territorio della provincia, alla guida della quale pose Raul Baisi. In quel periodo riuscí anche a conquistare uno sportello a Roma per la Bpf, subentrando al Credito Commerciale e Industriale. La Banca d'Italia ne autorizzò l'apertura come compensazione delle perdite subite dalla banca sindoniana a causa dei rimborsi erogati a favore dei clienti di due banche controllate dal suddetto istituto, che erano state poste in liquidazione coatta amministrativa.

Con l'aiuto di Paribas nel 1964 Sindona acquistò la Sviluppo, una finanziaria controllata dai Cini e dai Volpi, due storiche famiglie dell'industria elettrica italiana, in cui erano state a suo tempo concentrate le partecipazioni non elettriche del gruppo. Con questa operazione il banchiere si fece un nome nella finanza nazionale.

Nello stesso torno di tempo, di concerto con l'alleato Hambros, prese a rastrellare azioni del gruppo Italcementi, controllato da Carlo Pesenti. Nel suo gruppo, oltre alla componente industriale, figuravano importanti istituti finanziari e assicurativi come l'Istituto Bancario Italiano, l'Italmobiliare e la compagnia di assicurazione Ras (Riunione Adriatica di Sicurtà). La scalata urtò tuttavia contro la netta opposizione del governatore della Banca d'Italia, che manifestò «senza ambiguità che alla presenza di Sindona preferiva la continuità del gruppo di controllo»[16]. Si convenne infine che Pesenti ricomprasse le azioni rastrellate da Sindona a un prezzo di parecchio superiore a quello a cui il banchiere le aveva acquistate, garantendo a Sindona e a Hambros guadagni pari a circa 15 miliardi di lire. Fu questo il primo episodio che oppose Carli al banchiere siciliano.

Nel 1971 il banchiere di Patti tentò il colpo di ariete.

Alla fine degli anni Sessanta pochi grandi gruppi, quasi sempre controllati da una famiglia, formavano il capitalismo privato italiano[17]. Oltre a Montedison, di cui si dirà diffusamente piú avanti, vi erano Fiat nei mezzi di trasporto, Pirelli nella gomma, Orlando nella metallurgia, Falck nella siderurgia, Marinotti nelle fibre artificiali, Pesenti nel settore cementiero, Assicurazioni Generali e Ras in quello assicurativo. Le altre famiglie che contavano erano nel comparto immobiliare i Bonomi, i petrolieri Monti e Moratti, i tessili Bassetti e Marzotto, gli Zanussi, Borghi e Zoppas nel settore degli elettrodomestici, i Rizzoli e i Mondadori nell'editoria e pochi altri. Vi si aggiungevano alcune società finanziarie, tra cui spiccavano Fondiaria, Centrale, Bastogi. Quest'ultima era sin dagli inizi del secolo il salotto buono per eccellenza della finanza italiana. Nella seconda metà degli anni Venti Mussolini aveva posto alla sua guida il proprio fiduciario Beneduce, perché gli assicurasse il governo degli equilibri tra i grandi gruppi privati. Negli anni Sessanta era controllata da un sindacato formato da Montedison, Fiat, Pesenti, Bonomi, Generali, e dalle banche Monte dei Paschi di Siena, Mediobanca e Ior. Nel portafoglio di Bastogi figuravano rilevanti pacchetti azionari di Montedison, Italcementi, Beni Stabili, Pirelli, Credito Italiano.

> Sindona mirò al controllo della Bastogi e della Centrale e alla loro fusione; all'acquisizione del controllo della Banca Nazionale dell'Agricoltura. Se il programma fosse stato realizzato, si sarebbe costituita una delle maggiori, forse la maggiore, delle società finanziarie europee. Ne sarebbe derivata una concentrazione di potere esorbitante la capacità di controllo di un sistema formato dall'intreccio di disposizioni vetuste, in larga parte concepite agli albori del capitalismo italiano [...] L'assenza di qualsiasi proporzione tra i prezzi offerti e quelli di mercato [...] indusse in me la convinzione che l'operazione si proponesse obiettivi di dominio e che, con l'impiego degli scarsi mezzi disponibili, fosse mio dovere contrastarla. Cosí feci[18].

Sulla stessa lunghezza d'onda di Carli, Eugenio Scalfari e Giuseppe Turani hanno notato come Sindona rappresentasse l'incarnazione di un «capitale di speculazione che fiuta il momento opportuno per appropriarsi delle spoglie dei vecchi potentati nel momento in cui il sistema economico tradizionale si sta sfasciando»[19].

In tutte e tre le operazioni (Centrale, Banca Nazionale dell'Agricoltura, Bastogi) fu essenziale il ruolo di Hambros. La Centrale, che era stata una delle principali società del *trust* elettrico, era divenuta una finanziaria con partecipazioni in numerose imprese, controllata da un sindacato formato da Pirelli, Pesenti, Orlando, Bonomi, Agnelli, Banca Lambert di Bruxelles e Banca d'America e d'Italia, la banca fondata da Amedeo Giannini. Siccome, al pari di molte altre aziende elettriche beneficiate dagli indennizzi, non aveva saputo trovare nuove vocazioni industriali, il sindacato era incline a cederne la *governance*. Su impulso di Sindona entrò allora in gioco Hambros, che fece una proposta di acquisto per il blocco di azioni controllate dal sindacato (37 per cento del capitale) a prezzi nettamente superiori a quelli di mercato. Nel giugno del 1971 l'affare si concluse, perché Agnelli, inizialmente preferito al *parvenu* Sindona, declinò la proposta che gli fece il presidente della Centrale, Giuseppe Imbriani Longo, stimata figura della finanza italiana, legato a Donato Menichella (direttore generale dell'Iri nel 1934-44, poi governatore della Banca d'Italia dal 1947 al 1960) e a Merzagora. Nel nuovo consiglio di amministrazione Sindona nominò, oltre a se stesso, un gruppo di suoi amici: Roberto Calvi, Evelyn de Rothschild, Jocelyn Hambro, Massimo Spada, John McCaffery jr (figlio di John) e Cesare Merzagora.

Sindona e quest'ultimo avevano preso a frequentarsi nel 1967, pochi mesi prima delle dimissioni del presidente del Senato, grazie ai comuni amici John McCaffery ed Ettore Lolli, all'epoca presidente della Ras. Erano in ottimi rapporti d'affari[20].

Merzagora, divenuto presidente delle Assicurazioni Generali, aveva avuto modo di apprezzare non solo la capacità del banchiere siciliano di leggere i bilanci delle imprese, ma anche la proposta di creare i fondi comuni d'investimento, da lui avanzata in anticipo di diciassette anni rispetto alla legge che li istituí. Il suo dinamismo lo affascinava, sino a fargli credere che potesse essere lui la figura adatta per scuotere il capitalismo italiano e contrastare l'espansionismo della sfera pubblica, secondo Merzagora il fattore essenziale di decadimento dell'economia e della politica in Italia. Dal canto suo, Sindona ambiva a procurarsi un partner del prestigio dell'ex presidente del Senato e per riuscirvi esercitava un'arte adulatoria a cui Merzagora probabilmente non era insensibile[21].

Il banchiere siciliano non riuscí invece a conquistare la Banca Nazionale dell'Agricoltura, la prima banca privata italiana. Gli azionisti di controllo, la famiglia Auletta Armenise, erano in realtà propensi ad accettare la sua offerta, ma di nuovo si mise di traverso Guido Carli, contrario al fatto che una banca d'importanza primaria finisse in mano straniera, soprattutto se alleata di Sindona:

> Conviene ricordare che non tutti i compratori sono ugualmente graditi alla Banca d'Italia. Se il compratore fosse una persona fisica o giuridica straniera, la Banca d'Italia potrebbe sottoporre al ministro del Tesoro la proposta di abbassare alquanto il numero delle province nelle quali può essere riconosciuta la qualifica di banca di interesse nazionale. In questo caso la Banca Nazionale dell'Agricoltura nella sua attuale organizzazione potrebbe rientrare in tale categoria[22].

La terza operazione, l'assalto alla Bastogi, fece clamore. Per circa due anni Sindona lavorò sotto traccia, rastrellando titoli della società. Nell'estate del 1971 era arrivato a controllarne circa un quinto, poco meno del 28 per cento posseduto dal sindacato di blocco.

Aveva reperito le risorse necessarie in parte grazie a Hambros, in parte con una tecnica da lui escogitata: i depositi fiduciari. Una banca del gruppo di Sindona, supponiamo Banca Unione, effettuava un deposito in valuta presso banche appartenenti al gruppo ma che operavano all'estero, ad esempio Finabank. Contestualmente Banca Unione e Finabank stipulavano un accordo fiduciario segreto in base al quale la prima dava mandato alla seconda di trasferire per un periodo illimitato il deposito a una finanziaria estera, sempre appartenente al gruppo di Sindona. In base all'accordo, Finabank agiva senza alcun rischio, in quanto mera intermediaria. I depositi dei clienti di Banca Unione venivano cosí utilizzati per finanziare società estere di Sindona, che a loro volta li impiegavano in base alle sue direttive. In questo modo il banchiere violava varie norme: il divieto di finanziare proprie società con i denari dei correntisti, di acquistare banche e imprese salvo esplicita autorizzazione della Banca d'Italia, di servirsi dei propri fondi per manovrare i corsi delle proprie azioni, di mantenere fondi all'estero per periodi illimitati, di falsificare la reale natura delle operazioni compiute.

Arrivato a un passo dalla vittoria, Sindona si scontrò però con i progetti di Eugenio Cefis, l'ex presidente dell'Eni divenuto presidente di Montedison nel maggio del 1971 al termine di una feroce battaglia contro Giorgio Valerio, condotta con denari dell'ente pubblico e con il supporto strategico di Cuccia. Uomo spregiudicato e volitivo, ex militare di carriera, combattente partigiano in Val d'Ossola nelle formazioni cattoliche delle Fiamme verdi, Cefis divenne stretto collaboratore di Enrico Mattei, prima all'Agip e poi all'Eni. Apprese da Mattei il pragmatismo con cui negoziare con i politici al fine di sfruttarli per i propri piani, ma a differenza di costui non sentiva il bisogno di porsi al servizio del Paese: usava indifferentemente risorse pubbliche e private per accrescere il suo potere, *sic et simpliciter*. Cefis rappresentò la prima fase dello scadimento del senso di missione dei manager pubblici. Contribuí a creare quell'intreccio patologico tra politica ed economia che in altri modi ancora oggi asfissia il Paese.

Mentre Sindona preparava l'assalto alla Bastogi, il presidente di Montedison si chiedeva come sottrarsi al condizionamento dell'Eni, il cui presidente Raffaele Girotti, già suo vice, sfuggiva ormai alla sua sudditanza. Montedison, nata dalla fusione di Montecatini ed Edison, era un grande gruppo di circa 400 aziende, con un fatturato complessivo di oltre 2000 miliardi e quasi 180 000 dipendenti. Versava in cattive condizioni reddituali e patrimoniali. Assai eterogeneo al suo interno, aveva il suo *core business* nella chimica. Secondo il neopresidente, il rilancio del gruppo si sarebbe dovuto incentrare sullo sviluppo della chimica fine: a questo scopo era necessario ottenere massicci fondi pubblici e rendersi indipendente dall'Eni, in prospettiva uno dei principali concorrenti in quel comparto. Il piano escogitato da Cefis e da Cuccia, che lo affiancò nell'impresa, faceva perno sulla Bastogi. Consisteva piú precisamente nel fondere Italpi, una finanziaria posseduta da Montedison che deteneva a sua volta un rilevante pacchetto di azioni di quest'ultima, con la Bastogi, grande azionista di Montedison stessa. Nella fusione Montedison avrebbe ricevuto in cambio delle azioni Italpi quote della Bastogi, acquisendone cosí il controllo. Sommate alle azioni Montedison apportate da Italpi, Cefis avrebbe controllato anche la società di cui era presidente. A conti fatti, un esempio perfetto di *catoblepismo*, quel «divorare se stessi» menzionato da Mattioli per descrivere la compenetrazione inestricabile di banche e imprese nei grandi gruppi privati travolti dalla crisi degli anni Trenta. Anche Cefis avrebbe controllato se stesso, tramite la Bastogi.

Avuto sentore delle manovre di Sindona, Cefis affrettò i tempi. Nell'agosto del 1971 vennero convocati i consigli di amministrazione di Italpi e della Bastogi, che approvarono l'operazione. Sindona contrattaccò immediatamente, comunicando a Cefis che il gruppo internazionale da lui rappresentato era pronto ad acquistare il pacchetto del sindacato Bastogi al

prezzo di 2800 lire per azione, 1000 oltre il prezzo di mercato.
Alla fine del mese il sindacato di controllo rifiutò l'offerta.
Sindona contrattaccò lanciando il 9 settembre un'Opa sulla
Bastogi. Allora essa era disciplinata dal codice civile: manca-
va una legge specifica di regolazione, che fu promulgata solo vent'anni dopo, nel 1992. Contestualmente, il banchiere
intimò ai presidenti della Bastogi e di Italpi di sospendere
le operazioni di fusione sino alla scadenza dell'Opa, prevista
per l'8 ottobre. L'offerta consisteva nell'impegno ad acquistare le azioni a 2800 lire cadauna, alla condizione che alla
scadenza ne fossero state rese disponibili almeno 20 milioni.

L'Opa fu lanciata da una banca tedesca, la Westdeutsche
Landesbank Girozentrale, che fungeva da intermediario tra
Sindona e i suoi ignoti partner. La mossa, concordata con
Hambros, destò grande sensazione. Nessuno in Italia aveva
mai lanciato un'Opa, operazione invece abituale nei Paesi
anglosassoni e già utilizzata da Sindona negli Stati Uniti per
acquistare la Libby. Il pregio di un'Opa è l'equità con cui
vengono trattati tutti gli azionisti, al contrario di ciò che
usualmente accadeva nel nostro Paese, dove le maggiori operazioni venivano quasi sempre concordate in circoli ristretti
a danno dei piccoli azionisti. Per questo motivo si pronun-
ciarono a favore dell'offerta alcuni importanti organi di stampa, tra cui il «Corriere della Sera», «La Stampa», «l'Espresso», «Il Mondo», nonché Cesare Merzagora. Vennero pre-
sentate interrogazioni parlamentari in cui si sollecitava il
governo a non agevolare un gruppo contro l'altro[23]. Il progetto di Cefis era invece visto con favore da uno schieramento
politico trasversale, che andava dai comunisti – cui i trascor-
si pubblici del manager suscitavano qualche suggestione – alla maggioranza dei socialisti, fino ai democristiani.

Ma chi erano i partner di Sindona? Proprio perché fautori
della trasparenza assicurata da uno strumento come l'Opa,
coloro che avversavano Cefis non potevano mantenere il proprio appoggio a Sindona senza ricevere una risposta a questa domanda. Pochi giorni dopo il lancio dell'offerta, Cesare
Merzagora invitò a cena nella sua casa milanese il presidente
della Ras Ettore Lolli, Eugenio Scalfari (che aveva accolto
con favore l'iniziativa dell'Opa anche perché contrastava i

piani di Cefis) e il banchiere siciliano[24]. Sollecitato a rivelare chi si celasse dietro l'Opa, Sindona si rifiutò di rispondere. Gli appoggi inizialmente dati al suo tentativo vennero ritirati: chi, come Agnelli, aveva indugiato, incerto se schierarsi con Sindona o con Cefis, optò per quest'ultimo. Qualche tempo dopo si seppe pubblicamente del coinvolgimento di Hambros[25] e – lo svelò lo stesso Sindona nel 1974 – dell'Ambrosiano di Roberto Calvi.

Intanto, in un turbinio di contrattazioni il titolo Bastogi decollava in Borsa, approssimandosi alla soglia delle 2800 lire fissata da Sindona. A quel punto entrò in campo nuovamente il governatore della Banca d'Italia, decidendo di non cedere le azioni Bastogi di proprietà del Fondo pensioni della Banca stessa (pari al 4 per cento del capitale della finanziaria) e premendo fortemente sugli istituti di credito di diritto pubblico (Monte dei Paschi di Siena, Banco di Napoli, Banco di Sicilia) affinché facessero altrettanto. Fu il colpo decisivo. L'Opa fallí e Sindona dovette rassegnarsi a contrattare la vendita a Cefis e Pesenti delle azioni venute in suo possesso a un prezzo che gli evitasse perdite rilevanti.

Le modalità della fusione Italpi-Bastogi orchestrata da Cuccia e Cefis furono aspramente attaccate sulle colonne dell'«Espresso», in ragione del danno inferto ai possessori di azioni Bastogi[26]. Non furono le sole critiche. Prima ancora del lancio dell'Opa anche Merzagora aveva sollevato la medesima obiezione in una lettera a Cefis, Agnelli, Pirelli e al presidente della Bastogi Tullio Torchiani:

> Ricordando la dura lotta di Cuccia e Cefis contro Valerio, motivata principalmente dal fatto che Valerio si reggeva e si era reso padrone della Montedison grazie alle sue partecipazioni incrociate con Italpi, Bastogi e Sade, la prima impressione che mi dà questa fusione è di sorpresa perché essa comporta una enorme e ben piú grave partecipazione incrociata fra Bastogi e Montedison[27].

La preferenza per Cefis espressa dalla gran parte dell'*establishment* politico e finanziario non può essere motivata da ragioni di trasparenza. Sia Cefis sia Sindona coltivavano obiettivi di dominio, perseguiti con mezzi diversi ma entrambi irrispettosi degli interessi dei loro clienti e degli azionisti.

Dietro la motivazione adottata da Carli per contrastare Sindona – non consentire la formazione di un centro di potere finanziario dominante in Italia – ve ne era probabilmente un'altra, già emersa in occasione della sua opposizione alla scalata del banchiere siciliano alla Banca Nazionale dell'Agricoltura: l'indisponibilità a tollerare il rischio che un grande istituto bancario straniero entrasse nel mercato italiano. Questo era in effetti l'obiettivo strategico di Hambros. L'atteggiamento della Banca d'Italia risentiva di un clima duro sino a quando, alla fine del secolo scorso, il processo d'integrazione bancaria europea iniziò a smantellare le barriere nazionali tra i mercati. Nel contesto degli anni Settanta si temeva che l'acquisizione di partecipazioni estere in imprese italiane favorisse «l'estromissione dei quadri direttivi dalle scelte operative, la menomazione delle potenzialità del nostro sistema economico»[28], il saccheggio del risparmio italiano per investirlo al di là dei confini.

Pochi giorni dopo il governatore razionalizzò le sue decisioni nell'ambito della regolazione dei mercati finanziari mondiali:

> L'organizzazione di un mercato internazionale dei capitali costituisce uno degli obiettivi della politica economica seguita dai paesi dell'Occidente; conviene però sottolineare che un mercato integrato presuppone ordinamenti ispirati a medesimi principî e condizioni di parità fra operatori stranieri e nazionali [...] la mancanza, inoltre, di una legislazione moderna sulle società per azioni e sull'attività di Borsa trasforma il nostro mercato in una sorta di terra di nessuno. Si diffonde nell'investitore straniero la convinzione di poterne occupare porzioni piú o meno vaste, secondo decisioni discrezionali e modalità di attuazione non soggette ad alcun limite data l'assenza di ogni normativa. I maggiori paesi industriali disciplinano l'offerta pubblica di acquisto di azioni: fra le condizioni inderogabili pongono le dichiarazioni sia dell'identità del proponente l'offerta o dei terzi per conto dei quali viene avanzata, sia delle finalità perseguite, sia della motivazione del prezzo offerto[29].

Carli adduceva l'assenza in Italia di una disciplina adeguata del mercato mobiliare per rivendicare un proprio ruolo discrezionale di supplenza, reso necessario dalla generale negligenza dei politici a colmare la lacuna.

Dopo la sconfitta Sindona fu abbandonato da Hambros, che rinunziò ai suoi piani di penetrazione sul mercato italiano: la partecipazione della banca londinese nella Centrale la acquistò Calvi, quella nell'Immobiliare Sindona stesso. In Italia il fronte finanziario e politico che gli aveva sbarrato la strada dopo il lancio dell'Opa appariva insuperabile. Lo stesso governatore della Banca d'Italia gli avrebbe suggerito di trasferire il baricentro delle sue attività all'estero[30]. Sindona aveva bisogno di una nuova sponda internazionale.

La trovò negli Stati Uniti, rilevando nel giugno 1972 la Franklin National Bank – con 4 miliardi di depositi e 104 sportelli, la ventesima banca statunitense – per 40 milioni di dollari, un valore assai superiore a quello di mercato. I denari per l'acquisto provenivano dalle sue banche italiane e probabilmente anche dai loro clienti, tramite la tecnica dei depositi fiduciari sopra descritta[31]. Sindona si stabilí a Manhattan, riverito come un grande banchiere: «È chiaramente uno dei *trader* piú dotati al mondo. Dal nulla ha accumulato in meno di trenta anni una ricchezza netta stimata da "Fortune" in piú di 450 milioni di dollari. E c'è riuscito solo comprando e vendendo»[32].

Con questa mossa Sindona anticipò con precoce intuito una tendenza all'assunzione di partecipazioni in banche americane che poi si diffuse ampiamente, sulla scia dei mutamenti innescati nel sistema finanziario e monetario internazionale dalla decisione di Nixon del 15 agosto 1971 di sancire l'inconvertibilità del dollaro in oro. Si apriva una fase di acuta instabilità, che moltiplicò la liquidità internazionale espressa in dollari (in particolare con il mercato del cosiddetto eurodollaro, i dollari depositati presso le banche europee), creando un'imponente massa di manovra per la speculazione sulle valute. In questo contesto, Carli descrisse cosí il ruolo di Sindona:

> Su un punto importante Polibio, Lucrezio e Manzoni sono concordi: le grandi pestilenze agiscono sulle comunità umane come fattori improvvisi di assenza della legge. L'effetto sugli individui, spesso, è la lussuria, l'abbandonarsi al vizio, alla depravazione, al delitto. La disintegrazione dell'ordinamento monetario internazionale, la crisi petrolifera, ebbero un effetto simile a quello della peste. Scatenarono grandi passioni. Produssero e distrussero grandi ricchezze, sogni, progetti. Istigarono in molti finanzieri l'ebbrezza dell'onnipotenza, del gioco d'azzardo [...] La figura dell'avvocato Michele Sindona, cosí come l'ho conosciuta nella sua grandezza, sinistra ma indubbia, cosí come l'ho combattuta, è senza dubbio la figura di un protagonista della grande pestilenza[33].

Sindona si buttò a capofitto nella speculazione valutaria, ingaggiando uno dei piú dotati cambisti dell'epoca, Carlo Bordoni, la cui spregiudicatezza non giovava però alla sua reputazione. Lo conosceva ormai da svariati anni. Dopo una lunga e turbolenta carriera al Credito Italiano, al Monte dei Paschi di Siena e alla filiale milanese della First National City Bank, alla fine del 1964 Bordoni aveva creato con i capitali forniti da Sindona la Moneyrex, una società specializzata in operazioni in valuta. Predisposto il retroterra internazionale, nella primavera del 1973 il banchiere siciliano ritornò con clamore sul mercato italiano con un'ambiziosa manovra: fare della Immobiliare la piú grande società mondiale del settore. Riacquistò da Paribas la Sviluppo fondendola con la Edilcentro. La nuova società venne poi incorporata nell'Immobiliare.

L'operazione colse di sorpresa Anna Bonomi, che da mesi era in trattative con Sindona per acquistare l'Immobiliare. La signora della finanza decise di moltiplicare gli sforzi per raggiungere il suo obiettivo. Le voci filtrarono, sospingendo verso l'alto i prezzi dei titoli della Immobiliare e quelli della Beni Immobili Italia, di proprietà di Bonomi – che nell'aspettativa generale, sarebbero stati ceduti a Sindona a parziale pagamento dell'Immobiliare – le cui azioni salirono da 1239 lire all'inizio di giugno del 1973 a 1450 alla fine del mese. L'affare però sfumò, perché Sindona rifiutò di accettare corrispettivi se non in contanti.

Pochi giorni dopo, caduto il governo neocentrista Andreotti-Malagodi per il ritiro dell'appoggio esterno dei repubblicani, si formò nuovamente un governo di centrosinistra presieduto da Mariano Rumor (luglio 1973-marzo 1974), con La Malfa al ministero del Tesoro e Giolitti al Bilancio. L'evento, unito alle voci sempre piú insistenti del fallimento della trattativa per l'Immobiliare, scompaginò la Borsa: dal 7 all'11 luglio il listino scese del 14 per cento.

Secondo Giorgio Ambrosoli, il fallimento della contrattazione con Anna Bonomi pose a Sindona il problema di come trovare i fondi per restituire quanto Hambros e Continental gli avevano prestato in occasione dell'Opa Bastogi[34]; secondo altri quello di ripianare le perdite subite con le operazioni in cambi finanziate con i depositi della Franklin, in crisi di liquidità[35]. Il banchiere siciliano concepí allora un progetto (Cuccia lo definí «una baracca») che gli avrebbe consentito di rastrellare denaro fresco mantenendo il controllo dell'Immobiliare. Avrebbe aumentato il capitale di una sua piccola società finanziaria, la Finambro, da un milione a 160 miliardi, incorporandovi l'Immobiliare. Metà sarebbero state azioni ordinarie (con diritto di voto), l'altra metà azioni privilegiate (senza diritto di voto ma con diritto al dividendo). Al pubblico sarebbero state vendute tutte le azioni privilegiate e la metà meno una di quelle ordinarie. In questo modo, con il 25 per cento dell'intero pacchetto azionario (pari a 40 miliardi di lire), Sindona avrebbe controllato la Finambro e con essa l'Immobiliare, raccogliendo al tempo stesso capitali per 120 miliardi.

Secondo Fabio Tamburini, in un incontro casuale all'aeroporto di Roma Sindona avrebbe anticipato il piano ad Adolfo Tino (il braccio destro del capo di Mediobanca, con cui Sindona aveva mantenuto buoni rapporti), il quale si affrettò a informare Cuccia che avrebbe persuaso a sua volta il ministro del Tesoro La Malfa a bloccare l'operazione[36]. Il banchiere siciliano fece visita a Carli il 3 agosto 1973, giorno in cui la Finambro deliberò l'aumento di capitale, per illustrargli il progetto. Il governatore, pur comunicandogli che

> [...] non esprimeva nessun parere [dato che] non poteva aver preso visione della domanda [...] poiché gli organi della Società deliberavano in quello stesso giorno [...] gli aumenti di capitale delle società finanziarie non sarebbero stati accordati fino a quando non fossero state approvate nuove norme sul mercato mobiliare comprendenti disposizioni piú rigorose riguardanti le società finanziarie. L'autorità amministrativa non disponeva dei poteri necessari per vincolare queste società a comportamenti conformi ad assicurare un ordinato svolgimento delle operazioni di Borsa[37].

Gustavo Visentini – figlio del leader repubblicano Bruno, ministro delle Finanze nel 1974-76 e nel 1983-87, all'epoca funzionario dell'Assonime (Associazione fra le Società italiane per Azioni) – fu chiamato a pronunciarsi sulla legge del 1955 che sottoponeva gli aumenti di capitale superiori ai 500 milioni ad autorizzazione ministeriale, sentito il parere del Cicr (Comitato interministeriale per il Credito e il Risparmio). Concluse che la legge era esclusivamente diretta a evitare che con gli aumenti di capitale si potessero creare difficoltà al collocamento dei titoli pubblici[38].

La Malfa motivò *ex post* la sua opposizione senza riferimenti specifici a Sindona né tantomeno alla gestione del debito pubblico: era necessario «appena costituitosi il governo Rumor, con un impegno prioritario di lotta all'inflazione [...] non consentire [...] aumenti di capitale alle società finanziarie e alle società anche non finanziarie i cui titoli fossero quotati in Borsa», aggiungendo che la sospensione sarebbe stata mantenuta «finché il governo su mia proposta non avesse approvato nuove norme sul mercato mobiliare che contemplassero disposizioni piú severe e rigorose con riguardo alle società finanziarie»[39]. Carli, sempre secondo Gustavo Visentini, sarebbe stato invece incline a concedere l'autorizzazione, per timore che le difficoltà di Sindona si potessero ripercuotere sulla stabilità del sistema finanziario e bancario[40].

Il primo punto sollevato da La Malfa trovava la sua spiegazione nella circostanza che il governo di centrosinistra guidato da Rumor mirava a correggere in senso restrittivo la politica economica espansiva del biennio precedente, soprattutto quella dell'esecutivo neocentrista Andreotti-Malagodi. Lo imponevano l'accelerazione della domanda interna, l'impennata dell'inflazione e il peggioramento dei conti con l'estero – sospinti entrambi dall'aumento vertiginoso dei salari – e l'espansione del debito pubblico, che risentiva dell'improvviso rialzo delle spese correnti. In autunno lo shock petrolifero gonfiò la «bolletta petrolifera» di tre punti percentuali in rapporto al Prodotto interno lordo, aggravando ulteriormente il quadro. Il governo non impresse mutamenti effettivi di indirizzo alla politica economica, perché diviso al proprio interno sull'opportunità di una linea di maggior rigore: La Malfa, appoggiato da Carli, era favorevole; i socialisti, piú sensibili alle istanze espresse dal movimento sindacale, contrari; in posizione intermedia i democristiani.

Il nesso accampato da La Malfa tra gli obiettivi di politica economica del governo e l'inopportunità di concedere l'aumento di capitale appare specioso. Neanche la necessità preventiva di una pur indispensabile e piú cogente normativa del mercato mobiliare svolse un ruolo decisivo. Il ministro del Tesoro, che come certi ex azionisti sapeva all'occorrenza essere assai combattivo, semplicemente non voleva cedere alla richiesta di Sindona. Non convocò il Cicr, deputato a deliberare sulla questione, per il fondato sospetto che in quella sede si sarebbe trovato in minoranza. Questa volta, a differenza che per il tentativo di scalata alla Bastogi di due anni prima, il banchiere siciliano si era, infatti, premurato di procurarsi delle solide sponde politiche.

È in questo torno di tempo che Sindona cominciò, appunto, a intrecciare stabili rapporti con esponenti democristiani di primissimo piano. Aveva iniziato a finanziare regolarmente la Democrazia cristiana già nel 1972[41]. La Malfa percepiva chiaramente le manovre di Sindona («mezza Italia si sta muovendo per questa operazione, il che mi rende ancora piú diffidente»)[42], tese a dimostrare che i denari per l'aumento di capitale provenivano in larga parte dall'estero, con evidente beneficio per la bilancia dei pagamenti. Sindona in qualche modo non diceva il falso, salvo la non trascurabile circostanza che i capitali affluenti in Italia per sottoscrivere le azioni della Finambro (a conti fatti, circa 200 milioni di dollari)[43] erano previamente usciti dalle sue banche italiane con la tecnica dei depositi fiduciari. In quella congiuntura drammatica per la nostra moneta e per la credibilità internazionale dell'Italia, Sindona giuocava anche in questo caso con spregiudicatezza la carta del salvatore della lira. Recitò di nuovo lo stesso ruolo nell'autunno del 1973, partecipando con la Franklin National Bank al consorzio di collocamento di obbligazioni in dollari per un controvalore di 650 miliardi di lire emesso dal Crediop – un istituto di credito pubblico specializzato nel finanziamento a lungo termine di grandi infrastrutture, creato nel 1919 da Beneduce – e capeggiato dal Banco di Roma. L'operazione fu condotta all'insaputa della direzione della Franklin e in violazione delle norme federali, che vietavano acquisti superiori a 5 milioni di dollari[44]. Essa rientrava, come quella coeva condotta da Mediobanca sul mercato dell'eurodollaro, nei cosiddetti prestiti compensativi, un modo in cui la Banca d'Italia si approvvigionava di valuta nei momenti di maggior tensione sul mercato della lira tramite operazioni effettuate dietro suo invito dalle banche italiane. Si facevano cosí affluire capitali dall'estero per compensare il disavanzo della bilancia dei pagamenti, che spingeva al ribasso il cambio della nostra moneta. In questo caso, Carli non aveva obiettato al fatto che al consorzio prendesse parte la banca americana di Sindona, presumibilmente in ragione della sua importanza sul mercato statunitense.

Ma Sindona aveva fatto di piú. Tramite le sue banche aveva iniziato a raccogliere già in primavera, pur in assenza dell'autorizzazione all'aumento di capitale, le sottoscrizioni di azioni Finambro. Altre banche (tra cui il Credito Italiano) avevano agito nello stesso modo. Al Borsino (dove venivano negoziati i titoli non quotati in Borsa) questi titoli, veri e propri contratti con cui le banche in questione si impegnavano a consegnare ai sottoscrittori le azioni Finambro, venivano scambiati a quotazioni crescenti[45].

All'inizio di marzo del 1974 il ministro del Tesoro rassegnò le dimissioni, per contrasti con i socialisti sulla condotta della politica economica. Incoraggiato dall'uscita di scena del suo principale avversario, Sindona rafforzò con un prestito di due miliardi di lire il proprio sostegno finanziario alla Dc, impegnata nella campagna per l'abrogazione del divorzio. Ma la sconfitta nel referendum e le dimissioni di Fanfani chiusero per sempre la questione dell'aumento di capitale della Finambro.

---

[1] Franzinelli e Magnani, *Beneduce.*

[2] Romiti, con Madron, *Storia segreta del capitalismo italiano*, p. 17. Sulla stessa lunghezza d'onda La Malfa, *Cuccia e il segreto di Mediobanca*, pp. 198-203.

[3] Crainz, *Storia del miracolo italiano*, p. 145.

[4] Bocca, *Miracolo all'italiana*, p. 17.

[5] Senato della Repubblica, *Documentazione allegata alla relazione conclusiva sul caso Sindona*, vol. CXII, p. 78.

[6] G. Carli, *Cinquant'anni di vita italiana*, p. 322.

[7] Amatori e Brioschi, *Le grandi imprese private*, in F. Barca (a cura di), *Storia del capitalismo italiano*, pp. 118-53.

[8] G. Carli, *Cinquant'anni di vita italiana*, pp. 330-31.

[9] Giordano, *Storia del sistema bancario italiano*, pp. 89-94.

[10] Mattioli, *I problemi attuali del credito*, in «Mondo economico», XVII (1962), n. 29, pp. 29-35.

[11] Barbiellini Amidei e Impenna, *Il mercato azionario*, in Cotula (a cura di), *Stabilità e sviluppo negli anni Cinquanta*, vol. VII/3, pp. 670-701.

[12] Giordano, *Storia del sistema bancario italiano*, pp. 89-94.

[13] Sindona, *«Stabilità monetaria»*, in Archivio Storico della Banca d'Italia (d'ora in poi AsBi), Direttorio, carte Carli, cart. 56, fasc. 72, p. 39.

[14] La proposta menzionata da Sindona serviva probabilmente anche a nobilitare la truffa spesso operata ai danni dei dipendenti delle proprie aziende, convincendoli a investire i propri depositi nei titoli oggetto delle manovre speculative del banchiere.

[15] *Beating the Cycle*, in «Time», XIII (25 settembre 1964), n. 84. Traduzione dell'autore.

[16] G. Carli, *Pensieri di un ex governatore*, p. 83.

[17] Bruno e Segreto, *Finanza e industria in Italia*, in Barbagallo (a cura di), *Storia dell'Italia repubblicana*, vol. III, t. 1, pp. 500-7; Amatori e Brioschi, *Le grandi imprese private*.

[18] G. Carli, *Pensieri di un ex governatore*, p. 84.

[19] Scalfari e Turani, *Razza padrona*, p. 281.

[20] Merzagora, *Intervista*, a cura di P. Banas, in «Panorama», 15 febbraio 1987; De Ianni, *Tra industria e finanza*, in Id. e Varvaro (a cura di), *Cesare Merzagora*, pp. 153-55.

[21] Sulla tendenza di Merzagora a subire il «fascino dell'adulazione intelligente», cfr. *ibid.* [De Ianni e Varvaro], p. 186.

[22] G. Carli, *Pensieri di un ex governatore*, p. 88.

[23] *Ibid.*, p. 86.

[24] Colloquio di Eugenio Scalfari con l'autore (aprile 2010).

[25] Cfr. l'intervista rilasciata da Richard Hambro all'«Europeo», citata in De Luca e Panerai, *Il crack*, pp. 109-10.

[26] Cfr. «l'Espresso», XVI (26 settembre 1971), citato in Lombard [è lo pseudonimo con cui si firmava Romano Gattoni, funzionario della Banca d'Italia e collaboratore dei giornali «Lotta Continua» e «il manifesto»], *Soldi truccati*, p. 81.

[27] Scalfari e Turani, *Razza padrona*, p. 287.

[28] G. Carli, *Regime dei cambi e capitale di rischio*, p. 1256.

[29] *Ibid.*, p. 1257.

[30] Tamburini, *Un siciliano a Milano*, p. 268.

[31] Bordoni, *Intervista*, a cura di P. Panerai, in «Il Mondo», 16 e 23 marzo 1977; Ambrosoli, *Qualunque cosa succeda*, p. 65.

[32] Cordtz, *What's behind the Sindona Invasion*, p. 106. A cambi e prezzi attuali corrispondono a circa 1,8 miliardi di euro.

[33] G. Carli, *Cinquant'anni di vita italiana*, p. 320.

[34] Ambrosoli, *Intervista*, a cura di C. Belihar, in «Europa domani», aprile 1975. Ambrosoli fu nominato nel settembre 1974 commissario liquidatore della banca di Sindona. Si veda più avanti nel testo.

[35] Panerai, *Dietro Sindona*, in «Panorama», XIII (5 settembre 1974).

[36] Tamburini, *Un siciliano a Milano*, p. 269.

[37] G. Carli, *Pensieri di un ex governatore*, p. 92.

[38] Testimonianza di Gustavo Visentini, in F. Carli, *La figura e l'opera di Guido Carli*, p. 685.

[39] Cfr. lettera al «Corriere della Sera», 25 ottobre 1974, citata in Lombard, *Soldi truccati*, p. 115.

[40] Testimonianza di G. Visentini, p. 685.

[41] Cfr. l'audizione di Fanfani, dal giugno del 1973 segretario del partito, alla Commissione Sindona: Senato della Repubblica, *Documentazione allegata alla relazione conclusiva sul caso Sindona*, vol. CXIV, p. 13.

[42] Simoni e Turone, *Il caffè di Sindona*, p. 43.

[43] Lombard, *Soldi truccati*, p. 123.

[44] Spero, *Il crollo della Franklin National Bank*, p. 140.

[45] La Banca d'Italia fu criticata per aver consentito alle banche di emettere questi strumenti senza previa autorizzazione, come invece previsto dalla legge bancaria. Cfr. Lombard, *Soldi truccati*, pp. 119-20.

Capitolo quarto
Il crollo

Nell'estate del 1974 l'impero di Sindona collassò. L'8 ottobre fallí la Franklin National Bank. Era il piú grande dissesto bancario della storia americana. Pochi giorni prima, in Italia, era stata posta in liquidazione coatta amministrativa la Banca Privata, appena nata dalla fusione della Bpf con la Banca Unione.

Il sistema che crollava aveva un'estensione smisurata, i cui confini e la cui natura erano allora ignoti. Comprendeva oltre 125 imprese, finanziarie e non, operanti in undici Paesi e connesse fra loro tramite catene di *holding* costituite nei paradisi fiscali, tutte collegate alla Fasco AG, la società finanziaria del Liechtenstein acquistata nel 1950. Quest'ultima controllava, fra l'altro, la Banca Privata, la Banca di Messina, la Finabank di Ginevra, la Bankhaus Wolff di Amburgo, l'Amincor di Zurigo: costituiva insomma il perno del sistema che legava Sindona a importanti banche americane ed europee, fra cui la Continental Illinois National Bank e la Hambros[1].

Nel 1974 l'instabilità finanziaria provocò un'ondata di dissesti che non aveva precedenti dalla fine della guerra. Fallirono la Franklin negli Stati Uniti, la Privata in Italia, la Herstatt in Germania[2] e la Israel-British Bank a Londra. Vi contribuirono le difficoltà dell'opera di supervisione bancaria, che faticava a tenere il passo con i problemi generati dal nuovo contesto. L'attività accresciuta delle filiazioni all'estero moltiplicava i rischi, anche quelli di irregolarità e di cattiva gestione. Negli anni Settanta per gli organismi di supervisione era difficile individuare le società controllate, in particolare all'estero, non solo perché queste erano giuridicamente indipendenti dalle case madri e soggette alla giurisdizione del Paese in cui avevano sede legale, ma anche perché le banche italiane non avevano l'obbligo di redigere un bilancio consolidato. La vigilanza su base consolidata e le segnalazioni statistiche necessarie per esercitarla si svilupparono solo a partire dagli anni Ottanta, a seguito di direttive europee emanate proprio sulla scia della crisi delle banche di Sindona (e del Banco Ambrosiano): le attività delle filiazioni in cui una banca deteneva una partecipazione di controllo dovettero quindi da allora in poi essere incluse nel bilancio della casa madre.

I fallimenti delle due banche di Sindona ebbero caratteristiche simili sotto il profilo gestionale, ma si differenziarono con riferimento alla condotta delle autorità di vigilanza nei due Paesi e al ruolo giuocato dalla rete di relazioni politiche di Sindona, piú rilevante in Italia.

La Franklin National Bank era cresciuta rapidamente negli anni Sessanta. Originariamente specializzata nell'attività al dettaglio a Long Island, si era poi dedicata al mercato all'ingrosso a Manhattan. Come gran parte delle banche americane, aveva espanso notevolmente le operazioni sui mercati internazionali. Si caratterizzava però per posizioni creditorie altamente rischiose e per il ricorso sistematico al mercato interbancario a breve termine, con cui finanziava gli immobilizzi a piú lunga scadenza. Indebitarsi a breve termine su un mercato turbolento come quello interbancario di quegli anni per finanziare crediti a lunga scadenza era operazione temeraria. La forte crescita del personale (pari al 50 per cento fra il 1968 e il 1970), i costi connessi con l'apertura di una fitta rete di sportelli a New York e con l'acquisto della faraonica sede di Park Avenue accentuavano i problemi. Nella primavera del 1972 l'azionista di controllo della Franklin decise di mettere sul mercato la sua partecipazione (21,5 per cento), che deteneva tramite la Loews Corporation. Temeva infatti che quest'ultima, in accordo con il *Bank Holding Company Act* del 1956, potesse essere dichiarata dalla Federal Reserve una «bank holding company», nel qual caso avrebbe dovuto liberarsi delle partecipazioni non bancarie della Loews, che sarebbe stata sottoposta alla vigilanza federale.

Con l'obiettivo di farne una grande banca capace di operare sul mercato internazionale, Sindona, tramite la *holding* Fasco International (a sua volta posseduta dalla Fasco AG), acquistò con la sua tecnica abituale il pacchetto della Franklin, pagandolo 40 dollari ad azione, 8 in più rispetto alla quotazione di mercato, uno scarto che eccedeva ogni plausibile premio di controllo. Il banchiere sostenne successivamente di aver avuto idee precise sulla natura dei problemi della banca e sulle possibili soluzioni[3]. Fu questa l'impressione anche di Arthur Roth, presidente della Franklin fino al 1968, quando lo incontrò nell'ottobre del 1972. Nella sua deposizione alla Commissione d'inchiesta del Congresso costui lo descrisse così: «Va bene per la banca, è diretto, sembra onesto, intelligente, sa dove sta andando»[4]. Eppure i dubbi non mancavano. Sindona era da molti considerato persona «misteriosa»: non si sapeva bene da dove venissero i suoi denari, a cominciare dai 40 milioni di dollari con cui aveva comprato la Franklin.

Anche a causa della complessa struttura della supervisione negli Stati Uniti, in particolare quella rivolta all'attività internazionale delle banche, per un lungo periodo le autorità americane non percepirono a sufficienza i rischi che un personaggio come Sindona poteva comportare per il sistema. La supervisione era affidata a due organismi distinti, ognuno dei quali utilizzava propri criteri per autorizzare l'operatività internazionale delle banche: la Federal Reserve e l'Office of the Comptroller of the Currency (che dipendeva dal Tesoro)[5]. Faceva parte del sistema di sorveglianza anche la Fdic (Federal Deposit Insurance Corporation)[6], che di norma interveniva nelle procedure di liquidazione acquisendo le attività e le passività delle banche insolventi.

Nel marzo del 1972 un'ispezione del Comptroller accertò lo stato di disorganizzazione in cui versava il dipartimento internazionale della Franklin e la virtuale assenza di controlli interni, con gravi effetti sulla correttezza della contabilità[7]. Il Comptroller sollecitò la direzione a mettere a punto nuove procedure per risolvere i problemi segnalati, ma quale verifica dell'efficacia dei rimedi adottati si accontentò di un'assicurazione fornita dalla stessa banca. In novembre, sulla base di quest'assicurazione, diede il benestare alla Bank of England per l'autorizzazione ad aprire una filiale londinese della Franklin.

Dal canto suo, la Federal Reserve, competente per la supervisione sulle *holding* bancarie, non ritenne che la Fasco International e la Fasco AG potessero essere considerate società controllanti della Franklin, precludendosi cosí la possibilità di effettuare accertamenti sia sulle persone coinvolte nell'operazione di acquisto sia sulle risorse finanziarie e manageriali della Fasco. La Banca centrale rimase inerte anche quando Sindona e Bordoni, che era il direttore della Fasco, entrarono nell'agosto 1972 nel consiglio di amministrazione della Franklin. Ciò avrebbe potuto legittimamente giustificare una presunzione di controllo sulla banca da parte della Fasco e conferire alla Federal Reserve, in base alle norme vigenti, il potere di rimuovere Sindona dal consiglio della Franklin, facoltà che invece rimase in capo al solo Comptroller. La passività della Federal Reserve ebbe ulteriori conseguenze: la Franklin fu lasciata libera di concedere prestiti illimitati alla Fasco AG o alle imprese da questa controllate, senza incorrere nei vincoli stabiliti dalle norme che ne avrebbero limitato l'ammontare, qualora la Fed avesse invece riconosciuto il controllo della Fasco AG sulla Franklin, e che avrebbero imposto alla banca l'obbligo di costituire garanzie pari al 120 per cento del prestito concesso.

Sindona mise a capo della divisione internazionale della Franklin l'inglese Peter Shaddick. Cambista alla Banca d'Inghilterra dal 1948 al 1959, aveva diretto successivamente le operazioni in cambi della Continental Illinois National Bank presieduta da David Kennedy. Prima di assumere nel 1968 l'incarico di responsabile del servizio internazionale per la Banca di Montréal, era stato consigliere di amministrazione della Finabank. Una vecchia conoscenza, dunque, che per la sua notevole esperienza si prestava ottimamente a dare impulso e copertura alle operazioni in cambi. Con il suo arrivo esse infatti si impennarono, salendo da 1,4 miliardi di dollari nell'autunno del 1972 a oltre 3,7 un anno dopo[8]. Shaddick si sottrasse presto al controllo degli amministratori, dirigendo il servizio estero come una «banca nella banca», che faceva riferimento al solo Sindona.

All'inizio del 1974, con la fine dell'embargo petrolifero dichiarato dall'Opec all'indomani della guerra dello Yom Kippur, la politica monetaria si era fatta nuovamente restrittiva, con l'obiettivo di contenere l'inflazione. Ne erano discesi un forte innalzamento dei tassi d'interesse sul mercato interbancario all'ingrosso e acute tensioni sulla liquidità bancaria. Le difficoltà ad approvvigionarsi sul mercato si accentuarono, aggravando in particolare la situazione della Franklin, perché innalzavano il costo del ricorso ai fondi interbancari che le era essenziale per finanziare i propri prestiti a lungo termine. La banca si trovava fra il martello dell'aumento dei tassi passivi sugli elevati debiti a brevissima scadenza (che giunsero a rappresentare in certi momenti il 25 per cento del passivo complessivo) e l'incudine dei rendimenti sulle attività a medio e lungo termine, inchiodati dai tassi fissi. Alla fine del 1973 il rendimento delle attività della Franklin era meno della metà di quello delle altre grandi banche; pochi mesi dopo i prestiti non esigibili o di dubbia esigibilità erano saliti al 177 per cento del capitale. Le indiscrezioni sulle difficoltà della banca s'infittirono.

In questo contesto, l'accelerazione impressa alle operazioni speculative in cambi fu la miccia che fece deflagrare la crisi. Con la complicità di alcuni funzionari, Shaddick violava i limiti quantitativi che gli amministratori avevano posto all'attività di *trading* in valuta, falsificando o occultando le evidenze contabili. Si serví in piú di un'occasione dell'aiuto delle altre banche di Sindona che agivano sotto la regia di Bordoni – in particolare della Unione e della Amincor – stipulando contratti in valuta a cambi fittizi in modo da far risultare contabilmente profitti in realtà inesistenti.

Diverse banche primarie (Morgan, Deutsche Bank e Commerzbank), preoccupate dalla dimensione assunta dalle operazioni in cambi della banca di Sindona, riluttavano ad accettarla quale controparte delle operazioni in valuta a termine (con cui una controparte s'impegna a vendere o acquistare valuta a una data futura prefissata) e in qualche caso addirittura delle operazioni a pronti, nonostante queste ultime presentassero per loro natura rischi minori, essendo la contropartita immediata. Sebbene nuovamente allertati alla fine del 1973 da Morgan in relazione alle ingenti operazioni sul mercato dell'eurodollaro effettuate dalla Franklin⁹, né la Federal Reserve né il Comptroller ritennero di intervenire, accontentandosi di prendere atto dell'impegno di Shaddick a ricondurre le operazioni entro limiti piú prudenti. Il cambista inglese in realtà fece l'esatto contrario. Le aumentò ancora scommettendo sulla rivalutazione del dollaro, certo che dopo lo shock energetico il biglietto verde avrebbe beneficiato della minore dipendenza dal petrolio dell'economia americana rispetto a quelle europea e giapponese. Tra gennaio e maggio del 1974, il dollaro si deprezzò invece di oltre il 10 per cento rispetto al marco tedesco, di quasi il 14 per cento rispetto al franco svizzero e del 7 per cento nei confronti dello yen.

Le autorità di supervisione divennero inquiete. Nel febbraio del 1974 il responsabile dell'Office del Comptroller, James E. Smith, pregò la Federal Reserve di chiedere riservatamente al governatore della Banca d'Italia un parere su Sindona. Ricevette una risposta prudente, che diceva e non diceva: Carli suggerí semplicemente che le Banche centrali avrebbero dovuto limitare le iniziative di personaggi dotati di cotanto ingegno. Un ulteriore sintomo di preoccupazione emerse con la vicenda Talcott. Dalla primavera del 1973 pendeva la richiesta di Sindona di autorizzare la fusione della società finanziaria Talcott, da lui acquistata in aprile, con la Franklin. Il banchiere mirava ai profitti della finanziaria al fine di raggiungere la capienza fiscale necessaria per poter detrarre dalle imposte le perdite accumulate dalla Franklin negli anni precedenti. L'autorizzazione venne negata il 1° maggio del 1974, a causa dell'aggravamento dei problemi gestionali della banca che sarebbe disceso dalla fusione. In realtà contò, a quel punto, la volontà di contenere il peso della banca di Sindona nel sistema finanziario americano. La reputazione del banchiere subí un serio colpo, in un momento per lui particolarmente delicato.

Nella prima settimana di maggio del 1974 il corso delle azioni della banca iniziò a precipitare. Le quotazioni furono sospese. Il *board* della Franklin decise, su pressione della Stock Exchange Commission (Commissione per i titoli e gli scambi, l'ente federale statunitense preposto alla vigilanza della Bor-

sa) di non procedere al pagamento trimestrale dei dividendi. La Federal Reserve ricostruí cosí quel temuto passaggio:

> Quel venerdí sera [il 10 maggio, N.d.A.], alla chiusura, la Franklin si tro-
> vò ad affrontare la prospettiva che l'annuncio della mancata distribuzione del
> dividendo combinato con le notizie sulle perdite in cambi e con le voci sem-
> pre piú insistenti sulle condizioni della banca, avrebbe prodotto, la settimana
> successiva, un vero e proprio inaridimento delle fonti del mercato monetario
> e l'eventualità fin troppo concreta di una corsa agli sportelli[10].

Fu un weekend drammatico. Sindona era deciso a non
cedere il controllo della banca. Emersero le prime operazioni in cambi non registrate. Il banchiere promise di aumenta-
re il capitale di 50 milioni di dollari, con l'impegno che la Fasco International avrebbe comunque aderito, anche in assenza di altri sottoscrittori. La sera, la Federal Reserve annunciò
che la banca era da considerarsi fondamentalmente solven-
te e che le avrebbe assicurato il sostegno necessario per consentire una soluzione ordinata alla crisi di liquidità. I diritti
di voto di Sindona come azionista della Franklin New York
Corporation vennero però sospesi per un anno e trasferiti a
David Kennedy. Shaddick si dimise e il suo posto fu preso
da Bordoni.

La Franklin rese noto che le perdite in operazioni in cambi erano stimabili in 12-25 milioni di dollari; il 14 maggio rivelò che i profitti risultanti dai conti nei primi due trimestri
non corrispondevano alla realtà.

Su pressione delle autorità federali il 17 maggio Edwin
Reichers, già rispettato responsabile delle operazioni in valuta per la First National City Bank di New York, fu nominato vicepresidente esecutivo con delega per le operazioni in
valuta. Reichers riuscí a scongiurare la catastrofe immediata,
ma la crisi non si arrestò. Il 20 giugno la Franklin annunciò
di aver accertato ulteriori ammanchi in cambi per quasi 50
milioni di dollari. Le perdite complessive nei primi cinque
mesi risultavano ora pari a oltre 65 milioni, una cifra inedita
per una banca americana. Al presidente Harold Gleason, di-
missionario, subentrò Joseph Barr, già segretario del Tesoro
nell'amministrazione di Lyndon Johnson, che si pose innanzitutto l'obiettivo di individuare un partner con cui procedere a una fusione assistita dal sostegno della Federal Reserve.

Il deflusso di fondi intanto continuava copioso; dall'8 maggio al 12 luglio i depositi a vista crollarono del 44%, i certificati di deposito del 72%, i depositi delle filiali estere di quasi il 50%. Essenziali per arginare la fuga dei correntisti furono i prestiti della Banca centrale, che coprirono circa il 60% dei deflussi. Lo stock dei prestiti della Federal Reserve che si era accumulato salí da 110 milioni di dollari l'8 maggio a 550 il 13 maggio, sino a 1130 milioni il 24 maggio; toccò 1767 milioni all'inizio di ottobre. L'entità del supporto dato alla Franklin rimase naturalmente segreto, per non comprometterne ulteriormente le condizioni. La durata dell'intervento della Federal Reserve (quattro mesi) non aveva precedenti: per la prima volta i fondi furono utilizzati anche per compensare i deflussi di depositi dalle filiali estere della banca assistita.

Al riparo dell'ombrello aperto dalla Banca centrale, la frenetica ricerca di una soluzione fu ostacolata non solo dalla cattiva reputazione dei suoi amministratori e da impedimenti normativi[11], ma anche dallo scarso coordinamento fra le autorità di vigilanza. Il Comptroller Smith tentò di perseguire con ostinazione una fusione senza sostegno pubblico, vuoi perché persuaso che la banca potesse comunque sopravvivere, vuoi perché desideroso di scongiurare un esito non lusinghiero per l'immagine dell'autorità di supervisione da lui diretta. Il presidente della Federal Reserve Arthur Burns si convinse invece rapidamente dell'impossibilità di raggiungere questo obiettivo. La Fdic riluttò nei mesi iniziali della crisi ad assumere un ruolo attivo, nel timore che la notizia di un suo coinvolgimento avrebbe potuto accrescere i problemi di liquidità della Franklin e ridurre le residue possibilità di una fusione senza sostegno pubblico. All'inizio di luglio queste ultime erano ormai svanite. Il Comptroller prese atto dello stato d'insolvenza della Franklin e chiese alla Fdic di ricercare banche disponibili a rilevare quello che ne restava, procedendo dunque a una fusione assistita.

La dimensione della Franklin moltiplicava di per sé i rischi per gli eventuali acquirenti. Alla luce delle falsificazioni contabili emerse dalla primavera, i suoi contratti in cambi in essere – relativi cioè agli acquisti e alle vendite di valuta a pronti e a termine contro dollari – erano ad altissimo rischio e l'effettiva disponibilità delle controparti a onorarli era incerta. Gli elevati crediti della filiale di Londra – in prevalenza sul mercato dell'eurodollaro – erano fra le poste attive della Franklin piú appetite dai potenziali subentranti, ma il benestare della Bank of England a renderli disponibili non era scontato, perché l'*Old Lady* avrebbe potuto essere criticata per ovvi motivi dai creditori britannici della filiale londinese.

La ricerca di una soluzione durò sino all'inizio di ottobre. I rischi del portafoglio di contratti in cambi furono assunti dalla Federal Reserve, nell'ambito di un accordo con la Franklin e la Fdic: quest'ultima s'impegnò a coprire le perdite eccedenti quelle stimate. Una volta onorati tutti gli impegni, le perdite effettive sul portafoglio furono limitate, inferiori a quanto la Franklin aveva dovuto versare alla Federal Reserve sulla base di una stima preliminare. La Bank of England non si oppose al fatto che nella liquidazione le attività della filiale londinese passassero agli eventuali acquirenti, anche per evitare che la mancata soluzione alla crisi della Franklin destabilizzasse il sistema finanziario internazionale. La Fdic subentrò alla Franklin nel debito nei confronti della Federal Reserve (pari a 1767 milioni di dollari), compensato dall'acquisizione di quella parte dell'attivo che non sarebbe stata trasferita agli acquirenti. Il debito fu rimborsato nell'arco di un triennio. L'8 ottobre la Franklin fu dichiarata fallita e messa all'asta. Vinse la European American Bank – un istituto incorporato a New York controllato da sei banche europee, fra cui la Deutsche Bank, la Midland e la Credit-Anstalt di Vienna – con un'offerta di 150 milioni di dollari. A conti fatti, il contribuente americano ci rimise circa 25 milioni di dollari (equivalenti al cambio dell'epoca a circa 16 miliardi di lire), dovuti alla differenza fra il tasso di mercato e il tasso di favore applicato dalla Federal Reserve sui prestiti concessi alla Franklin per tenerla a galla fra maggio e ottobre[12].

Nello stesso weekend di maggio del 1974 in cui a New York le difficoltà della Franklin divennero di pubblico dominio, in Italia la Democrazia cristiana veniva sconfitta seccamente nel referendum abrogativo del divorzio. Si dissolvevano cosí non solo le speranze del banchiere siciliano di condurre in porto l'aumento di capitale della Finambro, ma anche l'utilità di quei finanziamenti al partito cattolico che avevano prodotto, come primo segno di riconoscenza, la nomina di Mario Barone a terzo amministratore delegato del Banco di Roma (accanto a Giovanni Guidi e Ferdinando Ventriglia). A detta del banchiere siciliano, Barone era un suo antico compagno di università. Di certo era persona legatissima ad Andreotti sin dalla gioventú e tale è rimasto sino alla sua morte, nel marzo del 2013.

Poco dopo scoppiò lo «scandalo Sindona», infiammando le cronache politiche e finanziarie dell'estate. Il quadro economico e politico era teso, gravido di rischi quali mai l'Italia aveva sperimentato dal 1948. Il 31 maggio del 1975, nelle sue considerazioni finali, il governatore della Banca d'Italia ricostruí il clima di quei mesi dell'anno addietro: «La stampa internazionale e quella interna non ponevano in dubbio se la bancarotta della nostra economia sarebbe avvenuta, ma soltanto speculavano intorno al momento nel quale ciò sarebbe accaduto»[13]. La crisi energetica aveva colto l'economia italiana in controtempo, con una domanda interna in forte espansione, un costo del lavoro e un'inflazione in rapida accelerazione, un accentuato deprezzamento della lira, un notevole e crescente disavanzo dei conti con l'estero. Iniziò allora un'èra, quella dei controlli amministrativi sui movimenti di capitale verso l'estero, incentrati soprattutto sui vincoli posti alle banche nell'impiego dei fondi in attività estere e/o in valuta, che si chiuse solo alla fine degli anni Ottanta.

La situazione richiedeva interventi d'emergenza. All'inizio del 1974, la Banca d'Italia e il ministro del Tesoro La Malfa decisero di negoziare segretamente un prestito *standby* del Fondo monetario internazionale di 1,2 miliardi di dollari, tentando di replicare lo schema seguito nel 1963, quando la restrizione monetaria era stata raccomandata da un'autorità esterna, in quell'occasione la Comunità europea. In marzo quest'ultima aveva già accordato un sostegno di 1,8 miliardi di dollari; in agosto la Bundesbank concesse poi un prestito di due miliardi di dollari, garantito dall'oro della Banca d'Italia. Come di prassi, il prestito del Fondo era subordinato a un programma macroeconomico. In una lettera d'intenti il governo s'impegnava a procedere a una stretta fiscale e a una restrizione monetaria, con l'obiettivo di correggere gli squilibri nei conti con l'estero e di contenere l'inflazione. Il ministro del Bilancio Giolitti si oppose, giudicando inutilmente deflazionista la politica prospettata. Con il partito di maggioranza relativa alla finestra, ne seguí una dura polemica con La Malfa, culminata come sopra detto con le dimissioni di quest'ultimo. Il prestito si fece lo stesso alle condizioni richieste dal Fondo, ma il rigore fiscale fu annacquato già in agosto, in sede di conversione del relativo decreto. La restrizione creditizia, che contemplava un nuovo obiettivo intermedio della politica monetaria (il credito totale interno, pari alla somma dei finanziamenti di origine interna ai settori pubblico e privato), durò anch'essa a malapena un anno. A differenza di quanto era accaduto nel 1963, la forza dell'opposizione sociale e politica rendeva impraticabile una manovra restrittiva.

L'instabilità non era solo economica. In primavera scoppiò il cosiddetto primo scandalo dei petroli: l'Unione petrolifera italiana, di concerto con l'Enel, in cambio di provvedimenti legislativi e amministrativi che favorivano l'industria petrolifera e la costruzione di centrali termoelettriche, aveva sovvenzionato (per un ammontare complessivo pari a oltre 3,5 miliardi di lire) i partiti al governo e/o loro correnti. Il processo fu archiviato e il Parlamento assolse i ministri coinvolti. Fu però varata con il voto favorevole di tutte le forze politiche (a eccezione dei liberali) la legge sul finanziamento pubblico dei partiti, con l'obiettivo dichiarato di eliminare fenomeni siffatti in futuro.

In aprile, con il sequestro del giudice Mario Sossi le Brigate Rosse si affacciarono per la prima volta sulla ribalta nazionale. Dopo le stragi di piazza Fontana del 1969 e di Peteano del 1972, il terrorismo neofascista si intensificò con gli attentati al comizio sindacale di Brescia (28 maggio, 8 morti) e sul treno *Italicus* (4 agosto, 12 morti). In estate vennero alla luce il disegno di «golpe bianco» di Edgardo Sogno (di cui si dirà in seguito) e l'organizzazione della Rosa dei Venti, attorno a cui gravitavano gruppi neofascisti, esponenti dei servizi segreti e della Nato, allo scopo di opporsi con ogni mezzo al Partito comunista (gli imputati vennero assolti negli anni successivi).

Negli stessi mesi si esacerbavano i conflitti fra le diverse fazioni dei servizi, ciascuna con i propri referenti politici nella Democrazia cristiana. Si rafforzavano i poteri trasversali, gli intrecci fra pezzi di apparati dello Stato, gruppi economici e finanziari, interessi internazionali. Nacque in quei mesi l'espressione pasoliniana del «Palazzo», rimasta una cifra della condizione italiana per i decenni a venire.

Nel complesso, si profilava un sistema politico gravemente infragilito, pressoché incapace di esercitare un'efficace azione di governo. Ciò influí non poco sulla condotta del governatore della Banca d'Italia nel corso della crisi delle banche di Sindona.

In Italia, l'agonia degli istituti del banchiere siciliano iniziò il 10 giugno. Quel giorno, a New York, Sindona telefonò al direttore generale del Banco di Roma, Ferdinando Ventriglia, volato a Manhattan con il suo stato maggiore per l'apertura di una filiale della banca.

> Non conoscevo il signor Sindona, non lo avevo mai visto prima di allora; mi chiese un appuntamento, lo fissai per il giorno 10 lunedí, per le ore 10, nella mia cameretta dell'hotel *Pierre* [...] Sindona mi domandò, mi prospettò un'operazione di rilevante importo; gli risposi che le operazioni si trattavano negli uffici competenti: non era quella la sede nella quale si poteva trattare l'operazione

ricordò il direttore generale, audito dalla Commissione parlamentare d'inchiesta sul caso Sindona e sulle responsabilità politiche e amministrative a esso connesse [d'ora in avanti «Commissione Sindona»][14].

Ventriglia era un banchiere molto influente. Napoletano, era stato uno dei principali collaboratori di Emilio Colombo nei primi anni del centrosinistra; a metà degli anni Sessanta era stato poi nominato direttore generale del Banco di Napoli e del Crediop. Dal 1969 amministratore delegato del Banco di Roma, aveva grande consuetudine di rapporti con gli ambienti politici, in particolare con quello democristiano. Godeva della stima e dell'amicizia di Guido Carli[15].

Qualche giorno dopo, a Roma, la banca diretta da Ventriglia concesse un prestito di cento milioni di dollari in due *tranches* alla Generale Immobiliare Corporation tramite il Banco di Roma-Nassau, prescelto perché libero di operare sui mercati internazionali. Il prestito era garantito dal 51 per cento delle azioni della Banca Unione e da cento milioni di azioni della Generale Immobiliare. Complessivamente le garanzie erano valutabili secondo il Banco di Roma in almeno 82 miliardi di lire, a fronte di un prestito pari in lire a 65 miliardi. Mario Barone si adoperò personalmente per il buon esito dell'operazione[16]. Alla fine del mese ne risultò erogata circa la metà. La fretta fu tale che venne ignorata la necessità dell'autorizzazione dell'Ufficio italiano cambi prevista dalle norme vigenti, perché la garanzia reale del prestito era costituita a favore di un soggetto non residente (il Banco di Roma-Nassau): un significativo sintomo della disinvoltura con cui venivano tenute in conto le regole.

Sindona aveva urgentemente bisogno di denaro per rimborsare almeno parte dei debiti contratti con la vicenda Finambro, ma anche per continuare a potersi servire delle sue banche italiane per approvvigionare la Franklin, in grave crisi. Era insomma il sistema Sindona nel suo complesso che necessitava di una cospicua iniezione di liquidità. È facile immaginare perché il banchiere si rivolse al Banco di Roma. Delle tre banche d'interesse nazionale, era quella che orbitava nell'area della Dc, il partito che Sindona finanziava. In comune avevano anche le relazioni con lo Ior, che era legato al Banco di Roma tramite il Banco di Roma per la Svizzera e a Sindona mediante la *partnership* nella Banca Unione e nella Finabank. Attraverso la Moneyrex – la finanziaria diretta da Bordoni – e la Franklin, che curava il collocamento del prestito obbligazionario del Crediop negli Stati Uniti per conto del Banco di Roma, passavano poi importanti rapporti fra Sindona e la banca diretta da Ventriglia.

Alla fine del mese, in connessione con le voci sempre più allarmanti sull'effettiva entità della crisi della Franklin, il direttore della sede milanese della Banca d'Italia rappresentò al governatore l'opportunità di accertamenti ispettivi presso la Banca Unione. A seguito del forte calo del prezzo delle azioni della Immobiliare date in pegno e dei deflussi di depositi dalle banche sindoniane, il 4 luglio il Banco di Roma sospese in via cautelativa l'erogazione della seconda *tranche* del prestito.

Il giorno dopo Sindona andò da Carli. Gli prospettò la grave carenza di liquidità in dollari che lo assillava, motivandola con una serie di operazioni compiute a sua insaputa da Bordoni. Nelle condizioni critiche in cui versava la bilancia dei pagamenti italiana, il governatore voleva evitare misure radicali come l'amministrazione straordinaria o la liquidazione coatta previste dalla legge bancaria perché avrebbero rischiato di produrre un «effetto contagio», compromettendo le possibilità di raccolta sui mercati esteri di tutte le banche italiane: «Il primo sintomo di incapacità del sistema di assolvere le proprie obbligazioni avrebbe potuto determinare – lo ripeto senza timore di esagerare – una catastrofe»[17].

Per salvare le banche di Sindona, il governatore decise di puntare sull'istituto che già stava sostenendo.il banchiere siciliano. Raccomandò quindi al Banco di Roma di procedere comunque all'erogazione della seconda *tranche* del prestito in dollari e di concedere un ulteriore prestito in lire di 63 miliardi, garantito da un numero di azioni dell'Immobiliare e della Finabank tale da consentire – se sommate alle azioni già date in pegno al Banco – il controllo delle due società di Sindona. Al contempo, sempre su raccomandazione di Carli, vennero distaccati presso la Banca Unione e l'Immobiliare uomini del Banco di Roma in posizioni di responsabilità amministrativa, con il compito di verificarne l'attività. Infine, il governatore dispose due ispezioni negli istituti del banchiere siciliano per apprenderne direttamente le effettive condizioni.

La notizia dell'intervento del Banco di Roma sotto la regia di Carli frenò l'emorragia dei depositi[18]. All'inizio di agosto, con la nomina degli organi direttivi, si formalizzò la fusione delle due banche di Sindona autorizzata nel dicembre del 1973 dal ministro del Tesoro: amministratore delegato della neonata Banca Privata divenne Giovanbattista Fignon, il dirigente del Banco di Roma che dall'inizio di luglio gestiva l'operatività delle banche di Sindona.

Durante l'estate sulla stampa comparvero attacchi d'intensità crescente contro questo piano, a cui si imputava di voler rafforzare il Banco di Roma e la posizione di Ventriglia. Costui era in quel momento il candidato piú accreditato alla successione di Guido Carli. L'eventualità di un passo indietro del governatore (allora il mandato era a tempo indeterminato) si faceva sempre piú concreta. Già nel 1970 Carli aveva invano rimesso il suo incarico al ministro del Tesoro, non ritenendosi in grado di affrontare le nuove condizioni di acuta conflittualità sociale e politica apertasi con l'Autunno caldo[19]. In agosto La Malfa rese note le pressioni ricevute quando era ministro del Tesoro per autorizzare l'aumento di capitale della Finambro. Comunicò altresí senza mezzi termini al presidente del Consiglio e al ministro del Tesoro, il democristiano Emilio Colombo, che il Pri sarebbe uscito dalla maggioranza di governo qualora Ventriglia fosse stato nominato governatore della Banca d'Italia[20].

Si pose subito il problema dei creditori delle banche di Sindona: chi aveva diritto al rimborso? Il governatore della Banca d'Italia assunse inizialmente una posizione netta, esercitando tutta la sua autorità per indurre il Banco di Roma a istituire un «cordone sanitario» che escludesse dal rimborso non solo chi faceva parte del gruppo Sindona, ma anche chi era a esso direttamente o indirettamente collegato, come ad esempio lo Ior. Ciò nonostante, all'insaputa del governatore della Banca d'Italia e dello stesso Ventriglia, su iniziativa di Barone il Banco in estate rimborsò alcuni crediti (fra cui uno della Finabank). La questione esplose alla fine di agosto, in seguito a una richiesta avanzata da un funzionario del Banco di Roma per la Svizzera che era stato distaccato alla Finabank, in accordo con le autorità elvetiche. La richiesta faceva riferimento ai 37 milioni di dollari depositati a titolo fiduciario presso questa banca. Il 28 agosto si tenne nella sede della Banca d'Italia, in via Nazionale, una riunione per prendere una decisione al proposito. Vi parteciparono per la Banca d'Italia Carli, il vicedirettore generale Antonino Occhiuto, incaricato di seguire la vigilanza nel Direttorio e l'ispettore capo Antonino Arista. Per il Banco di Roma c'erano Ventriglia, Mario Barone, il presidente del collegio sindacale Tancredi Bianchi e il responsabile del settore estero del Banco di Roma, Pier Luciano Puddu, che si presentò con un tabulato in cui erano elencati i nominativi dei titolari di quei depositi fiduciari[21]. Il documento rimase alla storia come la «Lista dei 500».

La vicenda di questa lista è una vera e propria commedia degli inganni. Puddu dichiarò di averla trovata la mattina del 28 agosto chiusa in una busta anonima posta sulla sua scrivania al rientro da Milano, dove era stato inviato da Ventriglia (su sollecitazione di Carli) per esaminare al ritorno dalle ferie la situazione della banca di Sindona. Negò però di ricordare i nomi della lista; Ventriglia, a cui Puddu portò il documento prima della riunione in via Nazionale, disse di non averlo neanche sfogliato. Mario Barone negò a sua volta che Puddu, seguendo le istruzioni di Ventriglia, gli avesse consegnato il documento dopo la riunione. Arrestato per testimonianza reticente nel novembre del 1977 dai giudici milanesi che indagavano sul fallimento della banca di Sindona, Barone fece tuttavia alcuni nomi, riferitigli a suo dire da Ventriglia, Puddu e Fignon, tra i quali, oltre a diversi membri della P2, Giacomo Mancini, esponente di primo piano del Partito socialista e Flavio Orlandi del Psdi[22].

Carli affermò di non aver visto alcuna lista nominativa e di non averne avuto notizia alcuna da parte di terzi. L'utilizzo di un documento anonimo avrebbe comunque violato la legge bancaria di un Paese estero:

> Se fosse stato illecitamente sottratto alla banca svizzera, se accogliesse informazioni apprese illecitamente, in entrambi i casi la disponibilità del documento configurerebbe una violazione della legge svizzera. Attribuire validità giuridica ad un simile documento dimostrerebbe: 1) che una banca italiana proprietaria di una partecipazione in una banca svizzera divulga informazioni in contrasto con l'osservanza del segreto, tutelato dalla legge bancaria svizzera, quindi l'immagine del sistema bancario italiano ne soffrirebbe; 2) che possono essere mosse accuse di comportamenti illeciti a cittadini italiani senza prove certe[23].

Insomma, secondo il governatore, nonostante il rischio evidente di possibili conflitti d'interesse discendenti dalla struttura proprietaria del Banco di Roma per la Svizzera, nelle circostanze date non v'era altro da fare che confidare nella lealtà professionale e nelle verifiche del funzionario distaccato alla Finabank, il quale aveva concluso che i titolari di quei depositi non appartenevano al gruppo Sindona. Si procedette quindi ai rimborsi. Neanche le indagini giudiziarie, protrattesi sino alla fine del 1981, sono riuscite a squarciare la coltre di omissioni e reticenze che proteggeva chi aveva esportato capitali in violazione delle norme valutarie. La lista sparí e non venne mai piú ritrovata.

Cominciarono negli stessi giorni a filtrare alcune indiscrezioni sugli illeciti compiuti nelle banche sindoniane e sui finanziamenti elargiti alla Democrazia cristiana, individuati nei rapporti preliminari presentati alla fine di luglio dagli ispettori della Banca d'Italia Vincenzo Desario – in seguito direttore generale dell'istituto di emissione dal 1994 al 2006 – e Calogero Taverna. Lo scandalo Sindona acquistava cosí una dimensione esplicitamente politica.

Il 29 agosto Ventriglia scrisse a Carli paventando – in dipendenza del prezzo a cui avrebbe potuto eventualmente liquidare le azioni dell'Immobiliare avute in pegno – perdite fino a 125 miliardi. Sollecitava perciò «una compensazione […] per il contributo che [il Banco, N.d.A.] va assicurando alla stabilità interna e alla credibilità internazionale del sistema bancario italiano»[24]. La prospettiva indicata in quel momento dal direttore generale del Banco di Roma era dunque quella di un subentro nelle attività e nelle passività della banca in crisi, reso possibile dal concomitante intervento della Banca centrale a copertura delle perdite. Si delineava dunque una soluzione alla crisi che avrebbe evitato il fallimento delle banche di Sindona e che avrebbe consentito al Banco di ereditare gli sportelli della Unione, della Privata Finanziaria, della Finabank e della Banca di Messina, nonché la massa fiduciaria ancora esistente (pari complessivamente a oltre 340 miliardi di lire). Carli si muoveva sulla stessa lunghezza d'onda e in tal senso rispose a Ventriglia il 5 settembre. L'entità delle perdite stimate andava però crescendo e simmetricamente diminuiva il valore della banca di Sindona, in una discesa che pareva non incontrare piú limiti.

Il 10 settembre Giuseppe Petrilli, che in qualità di presidente dell'Iri controllava il Banco di Roma, espresse a Ventriglia non solo la sua opposizione al piano di salvataggio, ma anche a un'eventuale acquisizione della Bpf al prezzo simbolico di una lira che il direttore generale del Banco gli prospettava. Il governatore della Banca d'Italia, che concordava con quest'ultimo e che si era perciò «adontato moltissimo di questa posizione dell'Iri»[25], però non si arrese e convinse il ministro del Tesoro Emilio Colombo a convocare una riunione risolutiva sull'argomento per il giorno 12.

L'11 settembre il Banco propose effettivamente a Sindona di cedere la Banca Privata al costo simbolico di una lira, ma il banchiere rifiutò. Non solo contestava l'azzeramento del valore della sua banca, ma richiedeva che fossero sistemate alcune perdite di natura particolare che lo avrebbero esposto all'imputazione di falso in bilancio. La riunione finí in modo interlocutorio.

Il giorno successivo, al cospetto del ministro del Tesoro, presenti lo stato maggiore dell'Iri e Ventriglia, Carli tentò invano di superare l'opposizione di Petrilli, il cui argomento principale poggiava sull'illegittimità giuridica della proposta, in quanto avrebbe assegnato al Banco le azioni date in pegno senza previa procedura fallimentare, come invece prevedeva la legge. La Banca d'Italia esperí allora un ultimo tentativo per evitare il fallimento, proponendo la costituzione di una nuova banca – la Banca d'Oltremare – formata dalle tre banche d'interesse nazionale e dall'Imi (Istituto Mobiliare Italiano). L'ipotesi naufragò subito, a causa della ripresa della fuga dei depositanti della Banca Privata e dell'impossibilità di trovare un accordo fra le tre banche sulla distribuzione delle quote azionarie della Oltremare[26].

In quei giorni decisivi non mancò l'intervento di Cuccia. Il 5 settembre, i vertici dell'Iri si rivolsero a lui per un parere, prima di respingere il piano avanzato da Ventriglia e da Carli. Fu consultato nuovamente pochi giorni dopo, quando si trattò di decidere circa la proposta del Banco di acquistare al prezzo simbolico di una lira la Banca Privata. In entrambi i casi Cuccia appoggiò le decisioni dell'Iri, suscitando non solo l'ira di Sindona, ma anche il risentimento di Ventriglia[27].

Il 24 settembre venne deliberata la messa in liquidazione coatta amministrativa. Tre giorni dopo, l'avvocato Giorgio Ambrosoli fu nominato dalla Banca d'Italia commissario liquidatore. Contestualmente il ministro del Tesoro emise un decreto *ad hoc*, il cosiddetto «decreto Sindona», rimasto in vigore fino ai primi anni dello scorso decennio e applicato successivamente anche alla Banca Fabbrocini, al Banco Ambrosiano e al Banco di Napoli. Il decreto (redatto dal vicedirettore generale della Banca d'Italia Antonino Occhiuto) definiva le condizioni, allora assolutamente discrezionali, a cui la Banca d'Italia avrebbe potuto concedere fondi in relazione ai salvataggi bancari[28], attribuendo alla Banca stessa la facoltà di elargire anticipazioni alle aziende di credito che fossero intervenute a favore di banche poste in liquidazione coatta amministrativa, per tutelare i depositanti di queste ultime.

Nel caso in esame, il decreto autorizzava l'istituto di emissione a concedere alle tre banche d'interesse nazionale un finanziamento straordinario biennale a un tasso d'interesse dell'1 per cento, di 13 punti percentuali inferiore a quelli vigenti allora sul mercato. Investendo a un saggio del 14 per cento i fondi costati l'1 per cento, le tre banche coprirono le perdite: i depositi furono rimborsati al 100 per cento. A conti fatti, il dissesto costò alla collettività 127 miliardi di lire[29].

Sulle modalità dell'azione di vigilanza, sulla loro efficacia, sulle motivazioni addotte (e su quelle eventualmente taciute) a fondamento delle scelte effettuate si è polemizzato molto, anche a distanza di anni.

Nell'estate del 1974, con sincronia quasi perfetta due sistemi di supervisione bancaria, quello italiano e quello statunitense, furono messi a dura prova dalla crisi. Le banche di Sindona furono spazzate via in entrambi i casi, ma al termine di percorsi diversi. La differente struttura della supervisione – accentrata in Italia, poggiante su tre pilastri negli Stati Uniti – non impedisce il confronto fra le due esperienze. Comune è il principio di fondo a cui si ispirano le autorità di vigilanza – salvare la banca ma non il bancarottiere – e simili sono le strategie di risoluzione delle crisi: accertamento delle condizioni effettive della banca, esautoramento degli amministratori, ricerca di un istituto in grado di subentrare alla banca in crisi, di norma – ma non necessariamente – affiancata da un intervento pubblico a copertura delle perdite emergenti[30].

L'opera di supervisione preventiva fu carente in entrambi i casi: le ispezioni disposte prima della crisi, pur rilevando problemi di rilievo nella gestione degli istituti, non furono capaci di valutare appieno i rischi potenziali che ne discendevano. Non era impresa facile, per via delle nuove tecniche operative che stavano affermandosi nelle banche e soprattut-to a causa della contabilità parallela creata da un gruppo ri-stretto in accordo con Sindona e all'insaputa del resto della banca. Si finí, in Italia come negli Stati Uniti, per confidare troppo a lungo nella capacità di autocorreggersi delle banche stesse. Del resto, dalla fine della Seconda guerra mondiale non si erano piú verificate significative crisi bancarie, con una radicale discontinuità rispetto agli anni Trenta, tanto che la stabilità finanziaria pareva sostanzialmente conquistata. Pur non prendendo alcun provvedimento amministrativo – in particolare non ravvisando le condizioni né per l'ammini-strazione straordinaria né per la liquidazione coatta previste dalla legge bancaria del 1936 –, la Banca d'Italia in ossequio alla normativa segnalò alla magistratura sin dalle ispezioni del 1971 l'emergere di possibili profili penali, comunicazio-ni rimaste peraltro «dormienti» per piú di due anni nei cas-setti della procura di Milano.

La Franklin National Bank era, anche in proporzione al sistema bancario statunitense, assai piú grande delle due ban-che italiane di Sindona: alla fine del 1973 con 3,7 miliardi di dollari di raccolta era la ventesima banca negli Stati Uniti; in Italia, la Unione era al ventinovesimo posto, la Privata Fi-nanziaria al quarantaquattresimo, rispettivamente con 950 e 550 milioni di dollari al cambio dell'epoca. La banca ameri-cana era d'importanza sistemica. Le autorità erano non solo preoccupate dell'impatto di un fallimento della Franklin sul sistema nazionale ma anche, data l'entità delle sue posizioni in valuta e dei suoi depositi sui mercati interbancari globa-li, delle ripercussioni che ne sarebbero scaturite per il siste-ma finanziario internazionale. Accresceva questo timore la forte turbolenza dei mercati, esplosa con il fallimento della Herstatt, che il 24 giugno paralizzò per un paio di giorni i mercati dei cambi.

La crisi della Franklin durò da maggio a ottobre. La ricer-ca di una via d'uscita non fu lineare. Come accennato, l'ope-ra delle autorità di supervisione fu inadeguata soprattutto prima dello scoppio della crisi: non solo il Comptroller non diede seguito alle segnalazioni dei rapporti ispettivi del 1972 e del 1973, ma autorizzò financo l'apertura della filiale di

Londra nonostante i dubbi, poi superati, della Federal Reserve. Quest'ultima a sua volta mancò di riconoscere il controllo esercitato da Sindona sulla *holding* Franklin New Corporation, privandosi cosí dell'occasione di porla sotto la propria diretta vigilanza. Ne sarebbe discesa in questo caso la possibilità di impedire l'acquisto della Franklin National Bank da parte della *holding* medesima. Scoppiata la crisi, la Banca centrale si mostrò però capace, nella sua veste di prestatore di ultima istanza, di innovare la prassi fin lí seguita, non solo inondando la Franklin di liquidità per un ammontare e una durata senza precedenti, ma compensando anche i deflussi di depositi dalle filiali estere.

Presumibilmente le relazioni di Sindona negli Stati Uniti ebbero qualche influenza nell'orientare in certe fasi le scelte delle autorità di supervisione, soprattutto tramite David Kennedy, che aveva a suo tempo nominato il Comptroller. Non sono emerse però evidenze di comportamenti palesemente anomali.

Le autorità monetarie italiane avevano un problema per un aspetto essenziale diverso; temevano infatti in primo luogo il venir meno della fiducia nei confronti delle loro banche e gli effetti esiziali che ne sarebbero discesi sulla capacità dell'Italia di finanziare un crescente disavanzo nei conti con l'estero: «La Unione e la Privata Finanziaria amministrano una posizione sull'estero dell'ordine di centinaia di milioni di dollari; l'insolvenza internazionale delle due banche produrrebbe conseguenze di entità incalcolabile»[31]. A questo proposito, per sostenere le proprie ragioni Carli rammentò che nel caso del fallimento della Herstatt la Bundesbank fu oggetto in Germania di critiche opposte a quelle sollevate in Italia nei confronti dell'istituto di emissione: l'aver cioè consentito che il dissesto si trasmettesse alla posizione verso l'estero del sistema bancario. Commentò quindi pragmaticamente: «Altro è la posizione della Germania Federale, altro è la posizione del nostro Paese»[32].

In Italia la crisi si sviluppò diversamente che negli Stati Uniti. La Banca centrale inizialmente confidò che il Banco di Roma potesse fornire un contributo sufficiente a sostenere la banca e Sindona; poi, a mano a mano che emergeva la reale dimensione dei problemi, affidò al medesimo istituto la funzione di banca subentrante, previa garanzia di un intervento della Banca d'Italia a copertura delle perdite, come il Banco stesso ripetutamente sollecitava. In realtà, a dispetto delle smentite di Ventriglia, che difendeva la sua scelta su basi meramente prudenziali (le garanzie fornite non erano discoste dal volume di prestiti erogati), la Banca d'Italia non poteva non avvertire che il Banco aveva l'interesse ad appropriarsi di ciò che sarebbe rimasto dell'avviamento, ivi compresi gli sportelli, delle banche di Sindona. Ciò nonostante Carli perseguí il suo piano quasi sino alla fine, quando dovette prendere atto che mancavano le condizioni per realizzarlo.

In due giorni di settembre tutto andò in fumo, per il rifiuto di Sindona di cedere a un prezzo simbolico la Privata e per il simultaneo veto espresso dal presidente dell'Iri. Non è certo se l'opposizione del banchiere siciliano fosse veramente definitiva o piuttosto una base da cui avviare un eventuale negoziato. Sta di fatto che la contrarietà di Petrilli, condivisa da Cuccia, fu la pietra tombale posta sul piano di Ventriglia e di Carli. Sull'esistenza di altri, inespressi, motivi sottostanti la decisione del presidente dell'Iri, è possibile solo speculare. Carli riferí in sede di Commissione Sindona che in realtà a influenzare la scelta di Petrilli vi furono anche timori di natura politica, per i riflessi negativi che si sarebbero prodotti sulla pubblica opinione in caso di accoglimento del piano suo e di Ventriglia[33].

Nei giorni immediatamente successivi, a chiudere il cerchio si aggiunse il rifiuto della Banca Commerciale e del Credito Italiano, le due banche dell'Iri tradizionalmente poste nell'area d'influenza laica, a partecipare alla costituzione della Banca d'Oltremare che avrebbe potuto, secondo Carli, rilevare le spoglie della Privata, evitando la liquidazione coatta.

In merito all'intera vicenda, la critica rivolta al governatore riguardò principalmente la sua indisponibilità a recepire le indicazioni che pur emergevano dai rapporti ispettivi già nel 1972 e di conseguenza ad assumere provvedimenti straordinari, per timore di colpire gli interessi degli alleati del banchiere. Ciò sarebbe venuto pienamente alla luce il 29 luglio 1974 con il via libera alla fusione della Unione con la

Privata Finanziaria e il 28 agosto con la irricevibilità opposta dal governatore alla «Lista dei 500», consentendo cosí il rimborso dei capitali che erano stati depositati all'estero in spregio alle norme valutarie.

La difesa di Carli non fu pienamente persuasiva. Il governatore difese il mancato ricorso a misure straordinarie dopo le ispezioni del 1971-72 con l'argomentazione che le perdite rilevate non superavano il capitale della banca, ritenendo che una segnalazione all'autorità giudiziaria potesse essere sufficiente a indurre gli amministratori a correggere i propri comportamenti, anche perché Sindona aveva abbandonato l'Italia[34]. Il governatore, che pure appena un anno prima aveva avuto modo di avvertirne «l'obiettivo di dominio» con l'Opa Bastogi, mostrava cosí di sottovalutare gravemente il banchiere.

La sua difesa del nulla osta alla fusione delle due banche nel 1974 si incentrò sull'obbligo di rispettare la procedura, in base alla quale dopo l'autorizzazione del ministro del Tesoro nel dicembre 1973 e l'espletamento di tutti gli adempimenti necessari da parte della Bpf e della Banca Unione, «l'Organo di Vigilanza non può esimersi dall'emanare il provvedimento formale in questione»[35]. L'argomento di Carli faceva perno sulla presunta impossibilità per la Banca d'Italia, una volta definite le modalità della fusione per incorporazione, di impedirne il completamento. Ma alla luce della nuova situazione venutasi a creare rispetto al momento in cui era stata concessa l'autorizzazione dal ministero, non vi erano forse gli estremi per bloccare la fusione, facendo leva sugli ampi margini di discrezionalità di cui l'istituto di emissione disponeva?

I rapporti ispettivi preliminari di fine luglio del 1974 avevano stimato un importo delle perdite, ancorché provvisorio, del tutto verosimile, tale da assorbire «per intero il patrimonio aziendale, intaccando altresí le ragioni di terzi»[36]. Venivano quindi meno gli stessi presupposti giuridici della fusione, come notò esplicitamente l'ispettore Taverna, audito dalla Commissione Sindona in riferimento alla sua ispezione alla Bpf.

Invece, secondo il governatore, i risultati delle ispezioni non giustificavano in quel momento il ricorso a misure straordinarie:

Le cifre delle perdite, indicate dai due ispettori nei rapporti ispettivi [...]
si collocano con certezza al di sotto della valutazione dell'avviamento delle
due banche e di quella risultante dalla fusione[37].

Nell'ottobre del 1974 anche Cuccia criticò il governatore della Banca d'Italia, perché il via libera alla fusione «[aveva] comportato un rumore scandalistico ed oneri molto maggiori di quelli che si sarebbero avuti da una piú tempestiva liquidazione sia della Banca Unione che della Banca Privata Finanziaria»[38].

Ma vi era di piú. La fusione poggiava su un aumento di capitale di dodici miliardi per la Unione, controllata al 51 per cento da Sindona, con il quale si sarebbe incorporata la Bpf, che era invece interamente posseduta dal gruppo Sindona. A conti fatti, come ricostruí l'ispettore Desario nella sua audizione alla Commissione Sindona[39], il banchiere siciliano, mantenendo il controllo della Privata Finanziaria, versò la sua quota, pari al 51 per cento, dei denari rastrellati per l'aumento di capitale, e portò all'estero l'altro 49 per cento, corrispondente a circa sei miliardi di lire.

Una delle ragioni, forse la piú rilevante, che concorre a spiegare l'atteggiamento del governatore della Banca d'Italia in quell'estate emerse con la vicenda della «Lista dei 500». Il taglio prettamente giuridico della difesa di Carli – l'irricevibilità di un documento anonimo proveniente da una banca estera – non basta a giustificarlo. Non è chiaro perché quelle informazioni non sarebbero state utilizzabili dall'Ufficio italiano cambi (di cui il governatore era *ex officio* presidente) come indizi di infrazione della normativa valutaria, in base ai quali effettuare gli approfondimenti ritenuti piú opportuni. Lo stesso funzionario del Banco di Roma per la Svizzera distaccato alla Finabank ammise, in una nota inviata al Banco di Roma cinque giorni prima della riunione del 28 agosto (ignota allora a Carli, secondo quanto da lui testimoniato alla Commissione Sindona), che non poteva essere del tutto certo che i titolari dei depositi fossero effettivamente estranei al gruppo Sindona.

Nell'insieme, il comportamento della Banca d'Italia fu improntato a una cautela estrema, sotto vari profili. Le condizioni in cui versava l'economia italiana ne costituivano una ragione importante: si voleva scongiurare il rischio che adottando misure straordinarie s'innescasse un crollo esiziale della fiducia dei mercati internazionali nei confronti dell'Italia. Anche per questo motivo si preferí ricercare sino alla fine una soluzione non traumatica.

Ma non solo per questo. Sotto il profilo politico, pesava la riluttanza ad aprire un conflitto dall'esito incerto con lo schieramento che si era raccolto a difesa di Sindona, in primo luogo buona parte della Dc e il Vaticano. Da qui il «benign neglect» nei confronti del tentativo dell'istituto diretto da Ventriglia, volto ad accrescere la sua influenza nel sistema tramite il dissesto di Sindona. Carli riteneva inoltre che Ventriglia fosse in ultima analisi la figura piú adatta a succedergli, anche in virtú delle sue relazioni con il mondo politico, che lui stesso riteneva di non possedere piú nella misura necessaria in un contesto in cui le pressioni della politica sulla Banca si facevano sempre piú asfissianti:

> Carli perde la fiducia di poter gestire le cose e ritiene inevitabile che la Banca d'Italia, per mantenere un minimo di autonomia, venga gestita da un uomo che sia sí tecnicamente valido, ma anche politicamente aperto al dialogo con i politici: di qui viene la candidatura Ventriglia, che egli avanza[40].

Sempre a causa di quella riluttanza, non volle neanche rischiare di essere messo nella condizione di dover bloccare i rimborsi prendendo atto dell'esistenza della «Lista dei 500». Del resto i rapporti del governatore con la Dc riflettevano, sin dai primi giorni del suo mandato, il difficile equilibrio tra la propensione del partito di maggioranza relativa a servirsi della finanza pubblica per tutelare gli interessi della propria *constituency* e l'obiettivo di Carli di evitare che in questo modo si creassero condizionamenti pericolosi per l'esercizio della politica monetaria.

Ma alla fine il piano di Carli non riuscí e si dovette procedere alla liquidazione della Banca Privata. Se ne può dedurre che ci fu quantomeno un errore di valutazione sulle possibili vie d'uscita da una situazione che probabilmente era già chiara a sufficienza nelle sue linee fondamentali.

Nella vicenda italiana il peso dei fattori politici sul comportamento della Banca centrale fu probabilmente maggiore rispetto a quella americana. Vi contribuirono la scarsa disponibilità di attivi stanziabili a fronte dei risconti e delle anticipazioni concessi dalla Banca d'Italia alle banche, cosí come l'assenza di norme che consentissero l'erogazione diretta di credito di ultima istanza da parte della Banca centrale a un istituto in crisi, come invece aveva potuto fare la Federal Reserve[41]. La necessità di dover agire per mezzo di un'altra banca – nel caso in parola il Banco di Roma – accresceva i rischi di opacità dell'intervento, perché la banca soccorritrice era piú propensa a intervenire se interessata al segmento di mercato su cui insisteva l'istituto in crisi per potervi eventualmente subentrare, configurando cosí un potenziale conflitto d'interessi. Anche l'inesistenza di un sistema di assicurazione dei depositi bancari, introdotto nel nostro Paese solo nel 1996, rendendo piú drammatiche le conseguenze di una crisi bancaria, tendeva, a parità di altre condizioni, a incentivare la ricerca di soluzioni anche al prezzo di una minore trasparenza[42].

Ma a spiegare la storia di quell'estate concorse la personalità di Guido Carli, con gli anni sempre piú cauto ad aprire conflitti con chi era espressione diretta o indiretta del potere politico, soprattutto negli anni Settanta, quando le consorterie – un termine a lui familiare – avevano preso a invadere, spesso in combutta con altri poteri dai contorni indefiniti, campi non di loro competenza. Questa «ipersensibilità politica» – l'espressione è di Luigi Spaventa[43] – può forse contribuire a dar ragione della celebre frase pronunciata in occasione delle considerazioni finali nel maggio di quello stesso 1974, per difendersi dall'accusa di aver assecondato l'impetuosa espansione del debito pubblico: «Il rifiuto (di acquistare titoli di Stato) [...] avrebbe l'apparenza di un atto di politica monetaria; nella sostanza sarebbe un atto sedizioso»[44]. Diversi economisti hanno sostenuto negli anni successivi che in realtà esistevano i margini per un'azione monetaria piú severa, che Carli non volle o non seppe sfruttare[45].

---

[1] Spero, *Il crollo della Franklin National Bank*, pp. 55-56.
[2] Il dissesto della banca tedesca ebbe una ripercussione importante. Determinò la nascita del Comitato di Basilea per la vigilanza bancaria, un organismo formato dai gover-

natori delle Banche centrali dei dieci Paesi piú industrializzati al fine di perseguire la stabilità finanziaria.

[3] Tosches, *Il mistero Sindona*, p. 189.

[4] *Oversight Hearings*, p. 8. Traduzione dell'autore.

[5] Alla Federal Reserve – dotata di poteri di vigilanza e di autorizzazione sulle banche aderenti al sistema della Riserva federale e sulle *holding* controllanti – competeva l'autorizzazione riguardo alle aperture di filiali e alle incorporazioni di controllate all'estero; all'Office of the Comptroller spettava la responsabilità primaria della supervisione della casa madre, se questa era una banca nazionale come la Franklin.

[6] Associazione federale di assicurazione sui depositi, che garantiva i depositanti fino alla soglia di 40 000 dollari; non assicurava però i depositi delle filiali estere né i depositi presso banche di proprietà estera residenti negli Usa.

[7] Spero, *Il crollo della Franklin National Bank*, p. 116.

[8] *Ibid.*, p. 102. I dati si riferiscono alle consistenze.

[9] *Oversight Hearings*, p. 14.

[10] Spero, *Il crollo della Franklin National Bank*, p. 130.

[11] Le norme vietavano che potesse intervenire in soccorso di una banca in crisi una *holding company* residente in un altro Stato dell'Unione.

[12] Sinkey, *The Collapse of Franklin National Bank*, p. 118.

[13] Banca d'Italia, *Relazione sull'anno 1974*, p. 424.

[14] Senato della Repubblica, *Documentazione allegata alla relazione conclusiva sul caso Sindona*, vol. CXI, p. 618.

[15] Cfr. la testimonianza di Emilio Colombo in F. Carli, *La figura e l'opera di Guido Carli*, p. 129.

[16] Simoni e Turone, *Il caffè di Sindona*, p. 47 e la testimonianza dell'avvocato Guzzi in Tribunale di Palermo, *Sentenza nei confronti di Andreotti Giulio*, p. 675.

[17] Senato della Repubblica, *Documentazione allegata alla relazione conclusiva sul caso Sindona*, vol. CXII, p. 130.

[18] *Dossier Sindona*, pp. 116-17. Il volume contiene la relazione di minoranza (Giuseppe D'Alema, Gustavo Minervini, Luca Cafiero) sui lavori della Commissione Sindona.

[19] G. Carli, *Cinquant'anni di vita italiana*, p. 152.

[20] Cfr. la testimonianza di Giorgio La Malfa in F. Carli, *La figura e l'opera di Guido Carli*, p. 324.

[21] Cfr. il verbale redatto dal Banco di Roma, pubblicato in *Dossier Sindona*, p. 136.

[22] Lombard, *Soldi truccati*, pp. 199-200.

[23] Senato della Repubblica, *Documentazione allegata alla relazione conclusiva sul caso Sindona*, vol. CXII, p. 98.

[24] *Dossier Sindona*, p. 89.

[25] Cfr. l'audizione di Ventriglia in Senato della Repubblica, *Documentazione allegata alla relazione conclusiva sul caso Sindona*, vol. CXI, p. 712.

[26] Sul fallimento di questi ultimi tentativi per evitare il dissesto della banca di Sindona, cfr. le audizioni di Guidi, Ventriglia, Carli, Petrilli alla Commissione Sindona.

[27] La Malfa, *Cuccia e il segreto di Mediobanca*, pp. 134-36.

[28] Gigliobianco, *Via Nazionale, Banca d'Italia e classe dirigente*, p. 342.

[29] Cfr. l'audizione di G. Carli in Senato della Repubblica, *Documentazione allegata alla relazione conclusiva sul caso Sindona*, vol. CXII, p. 91.

[30] G. Carli in *Tipicità dei dissesti bancari* confronta le prassi americana e italiana, con particolare riferimento a comportamenti scorretti da parte dei banchieri: negli Usa la sanzione nei confronti di comportamenti perniciosi per il sistema consiste – anche in assenza di profili penali – «piú che in Italia [...] nella cacciata dei responsabili, nella istantanea cacciata» (*ibid.*, p. 6).

[31] Senato della Repubblica, *Documentazione allegata alla relazione conclusiva sul caso Sindona*, vol. CXII, p. 87.

[32] *Ibid.*, p. 145.

[33] Il presidente dell'Iri, nella stessa sede, si limitò invece a ribadire l'impossibilità giuridica della proposta di acquisizione della Privata avanzata dal Banco di Roma e da Carli.

[34] Senato della Repubblica, *Documentazione allegata alla relazione conclusiva sul caso Sindona*, vol. CXII, p. 160.

[35] *Ibid.*, p. 85.

[36] Rapporto ispettivo presso la Banca Unione del 26 luglio 1974, p. 39. Analoga conclusione è riportata nel rapporto ispettivo relativo alla Bpf.

[37] Senato della Repubblica, *Documentazione allegata alla relazione conclusiva sul caso Sindona*, vol. CXII, p. 135.

[38] La Malfa, *Cuccia e il segreto di Mediobanca*, p. 137.

[39] Senato della Repubblica, *Documentazione allegata alla relazione conclusiva sul caso Sindona*, vol. CXI, p. 111.

[40] Cfr. la testimonianza di Carlo Azeglio Ciampi in F. Carli, *La figura e l'opera di Guido Carli*, p. 67. Si veda anche nello stesso volume Giorgio La Malfa, p. 324.

[41] Cesarini, *Osservazioni in merito allo svolgimento delle crisi bancarie*, in Belli *et al.* (a cura di), *Banche in crisi.*

[42] Spaventa, *Prefazione* a Cornwell, *Il banchiere di Dio.*

[43] Cfr. la testimonianza di Luigi Spaventa in F. Carli, *La figura e l'opera di Guido Carli*, p. 657.

[44] Banca d'Italia, *Relazione sull'anno 1973*, p. 426.

[45] Andreatta e D'Adda, *Effetti reali o nominali della svalutazione?*; Basevi e Onofri, *Uno sguardo retrospettivo*, in Arcelli (a cura di), *Storia, economia e società in Italia* e, in termini piú sfumati, Rossi, *La politica economica italiana*, p. 22.

Capitolo quinto

Il veleno nelle istituzioni

Il dissesto della Privata e della Franklin segnò uno spartiacque nella storia di Sindona. Nella battaglia che ingaggiò per salvarsi riuscí a procurarsi il sostegno di una costellazione straordinaria di poteri, legali e illegali, che divenne un emblema delle consorterie che soffocavano il Paese.

Il 4 ottobre 1974 la magistratura italiana spiccò un mandato di cattura contro di lui per false comunicazioni sociali, illegale ripartizione degli utili, operazioni in cambi non riportate nella contabilità: reati tutti già segnalati dalla vigilanza della Banca d'Italia nelle ispezioni del 1972. Tre settimane dopo, Sindona fu colpito da un secondo mandato di cattura per bancarotta fraudolenta in relazione al fallimento della Privata. Riparò in un primo tempo in Svizzera, poi brevemente nella Cina nazionalista dove godeva dell'amicizia di Chiang Kai-shek, infine dal gennaio del 1975 a New York, all'hotel *Pierre*, sulla Quinta Strada di fronte a Central Park.

Le indagini sul fallimento della Franklin acquistarono però slancio solo nel dicembre del 1975, con la scelta di Shaddick di collaborare con gli inquirenti. Qualche mese dopo Bordoni, che in seguito al crollo della Franklin si era dimesso da tutte le cariche ricoperte nel gruppo di Sindona e si era rifugiato in Venezuela, prese la stessa decisione. Nel settembre del 1976 venne arrestato a Caracas su pressione della magistratura newyorchese. Secondo Bordoni, i rapporti con Sindona erano andati deteriorandosi già prima del dissesto, anche perché sua moglie Virginia gli aveva rivelato di essere stata molestata sessualmente dal banchiere siciliano[1].

Sindona agí su piú fronti, sia in Italia sia negli Stati Uniti. Forte dei suoi appoggi negli ambienti repubblicani (poteva contare anche su John Connally, l'ex governatore del Texas ferito a Dallas nel novembre del 1963, nonché nel 1971-72 successore di David Kennedy al Tesoro nell'amministrazione Nixon) e italoamericani, per consolidare la sua immagine negli Stati Uniti usava procurarsi con generose donazioni inviti a tenere conferenze su temi economico-finanziari nelle piú prestigiose università americane.

Contestualmente premeva in diversi modi sull'ambasciata d'Italia a Washington per rallentare le pratiche relative alla richiesta di estradizione e per farsi accreditare pubblicamente come persona stimata, delegittimando cosí le iniziative dei magistrati italiani. Quando capí che l'ambasciatore Roberto Gaja non si prestava alle sue manovre, cercò, inutilmente, di farlo rimuovere[2].

Nel febbraio del 1975 scrisse al governatore Carli una lunga lettera con lo stile insinuante e ricattatorio che adottò poi in molte altre occasioni. Ne riportiamo qui l'*incipit*:

Illustre Governatore,

1. mi è stato riferito che Ella ha sostenuto una parte da protagonista nel «caso Sindona».

2. Mi è stato riferito che Ella ha espresso in sede nazionale ed internazionale giudizi poco lusinghieri nei miei confronti.

3. Mi è stato riferito che ha fatto consegnare alla Magistratura le «prime» osservazioni della «Vigilanza» senza fornire successivi chiarimenti, inducendo cosí il Magistrato ad emettere un mandato di cattura per irregolarità nei bilanci della Banca Unione per gli anni 1970 e 1971.

4. Mi è stato riferito che, dopo avere autorizzato il Banco di Roma a stipulare con me un accordo ben preciso che avrebbe portato ad una giusta soluzione dei problemi, Ella all'ultimo minuto e per inspiegabili motivi, ha invitato il Banco stesso a non firmare l'accordo.

5. Mi è stato riferito, che pur avendo Ella ricevuto una relazione in data 26 luglio 1974 in cui si faceva presente che io avevo esposto la situazione delle due banche (Banca Privata Finanziaria e Banca Unione) non solo al Banco di Roma e agli Ispettori, come in quella relazione è detto, ma anche ad Ella personalmente, Ella ha autorizzato successivamente la fusione delle due banche in base a situazioni da Ella ritenute false.

6. Mi è stato riferito che, per quanto io l'avessi messa al corrente, Le avessi fornito i chiarimenti necessari e mostrato la documentazione relativa in merito ad operazioni illecite effettuate sia da chi lavorava per me all'interno delle aziende, sia da chi mi combatteva all'esterno, Ella non ha sino ad oggi ritenuto doveroso avvertire la Magistratura, la quale certamente, alla luce di fatti cosí gravi, avrebbe preso i necessari provvedimenti nei confronti di altri e non contro di me.

Non è mio compito in questa sede esaminare l'aspetto giuridico del Suo comportamento: ciò sarà fatto in apposite sedi dai legali. Desidero ora esprimerLe alcune mie perplessità e chiarirLe inoltre alcune situazioni per conoscere quali sono stati i motivi sul piano umano di questo Suo comportamento e sempre che i fatti riferiti siano veri[3].

Ripercorrendo la storia dei suoi rapporti con la Banca d'Italia a partire dalle ispezioni del 1970-71, il banchiere minacciava Carli di rivelare la causa delle asserite incoerenze di comportamento di quest'ultimo – i legami con La Malfa e Cuccia – denunciandolo alla magistratura e rovinandone la reputazione. Nella stessa vena, accusava il governatore di aver coperto un presunto falso in bilancio da parte di Mediobanca in riferimento a un'operazione di fusione di due società negli Usa[4]. La lettera si chiudeva con queste parole:

> Pensa veramente, dottor Carli, di uscire bene da tutta questa vicenda? Cosa glielo fa pensare? Ritiene che quando tutte le comunità economiche, monetarie e finanziarie internazionali conosceranno questi fatti e questi sistemi l'Italia ne uscirà bene? E a chi saranno addossate le responsabilità?[5].

Scopo evidente della lettera era di indurre il governatore ad assumere un atteggiamento compiacente verso i tentativi di sistemazione del fallimento della Banca Privata. Con lo stesso obiettivo Sindona si mosse anche sul piano giudiziario: pochi mesi dopo venne aperto contro Carli un procedimento penale per concorso in bancarotta fraudolenta e truffa aggravata, poi archiviato dal giudice istruttore nel novembre 1978.

Un ulteriore elemento di rilievo nella strategia del banchiere fu quello mediatico. Nel 1975 concesse ben quattordici interviste a importanti organi di stampa italiani (tra cui «Panorama», «Il Mondo», «La Stampa», «L'Europeo», «Il Tempo», «Tempo Illustrato»), in cui ripeté ossessivamente di essere vittima di una persecuzione ordita da La Malfa e Cuccia:

> Gli amici, o i cosiddetti amici nei momenti di difficoltà hanno paura e si dileguano. C'è di piú: in Italia, io in parte li giustifico, vivono in un regime di terrore che era quello che avevano creato Enrico Cuccia, Ugo La Malfa e Lucio Rondelli [amministratore delegato del Credito Italiano]. Tutti avevano paura di intervenire perché sono stati minacciati in maniera veramente incredibile con una forma dittatoriale che non ha nulla da invidiare a quelle di Hitler o Stalin [...] In vita mia ho avuto un solo padrone: la produttività. Agendo in nome della produttività, si disturbano ovviamente i grossi centri di potere. Il consigliere delegato della Mediobanca, Enrico Cuccia, voleva nazionalizzare, io invece volevo privatizzare: ecco perché molti paladini arroccati nei centri di potere a un certo punto solidarizzarono con Cuccia e scatenarono la guerra contro Sindona [...] il centrosinistra non ha distrutto Sindona. Ha semplicemente fatto fuori il piú tenace oppositore alla nazionalizzazione di aziende![6].

A suo dire, i motivi discendevano dall'ostilità verso la libera iniziativa dominante nel Paese dopo l'avvento del centrosinistra, di cui lui era il riconosciuto alfiere. La tesi non era ovviamente isolata in Italia, anche a prescindere dalle posizioni della destra reazionaria. In Merzagora, ad esempio, assumeva la forma di accusa contro l'invadenza crescente dei partiti nella vita politica. Era anche una posizione volta a catturare la benevolenza degli ambienti conservatori americani, in un momento in cui la crescita dell'influenza del Partito comunista italiano sollevava non poche apprensioni oltre Atlantico.

Non mancavano, come sempre, le allusioni e i ricatti:

> Io in Italia non ci torno: mi metterebbero in galera per vent'anni e il processo non me lo farebbero mai. Come a Valpreda, peggio che a Valpreda: perché, se processassero me, a finire dentro sarebbe mezza Italia, di quella che conta[7].

Questa frenetica attività mediatica serviva anche a contrastare la prima organica e non certo benevola ricostruzione della sua carriera, dagli esordi siciliani alla bancarotta (quella di De Luca e Panerai del 1977), contro la quale il banchiere si scagliava astiosamente nelle sue interviste.

Negli stessi mesi cominciavano a maturare i primi frutti dell'indefesso lavoro del commissario liquidatore della Banca Privata, l'avvocato Giorgio Ambrosoli, che con audace perseveranza riuscí a sfruttare un colpo di fortuna revocando i vecchi amministratori della Fasco[8], ritirando le procure in essere di cui Sindona era il principale beneficiario e nominandone altri di sua fiducia. Con questa mossa Ambrosoli scardinò il centro occulto del sistema creato dal banchiere.

La nomina da parte del governatore Carli dell'avvocato milanese a commissario liquidatore della Bpi nel settembre del 1974 aveva suscitato qualche sorpresa. Si era distinto per impegno e capacità nel gruppo di lavoro nominato dai tre commissari liquidatori della Sfi, una società finanziaria vicina alla Democrazia cristiana che era fallita nel 1964. Titolare di uno studio legale, Ambrosoli era entrato negli organi di vigilanza di alcune società (fra cui la Banca del Monte di Lombardia, il Credito Fondiario, la società editrice del quotidiano «Il Giornale Nuovo», fondato da Indro Montanelli quando questi abbandonò il «Corriere della Sera» per dissensi sulla linea politica del quotidiano, giudicata troppo squilibrata a sinistra), tenendosi però lontano dagli ambienti mondani dell'imprenditoria lombarda: l'opposto di quanto aveva fatto a suo tempo il suo collega Sindona. Aveva però appena quarant'anni, che erano considerati pochi in Italia. Poteva sembrare una figura tutto sommato di non elevato profilo professionale.

Perché fu scelto proprio Ambrosoli? E perché, contrariamente alla prassi abituale in casi analoghi, fu nominato liquidatore unico? Non lo sappiamo con certezza, neanche oggi[9]. L'indicazione provenne probabilmente da uno dei commissari liquidatori della Sfi, il professor Tancredi Bianchi, ma la scelta di porre sulle spalle del solo Ambrosoli un onere che si preannunciava davvero pesante ha plausibilmente anche altre ragioni. Forse altre persone interpellate in prima battuta si erano tirate indietro perché spaventate dai rischi dell'impresa. Può darsi invece che l'avvocato fosse stato segnalato dal Banco di Roma (nel cui collegio sindacale sedeva uno dei commissari liquidatori della Sfi), oppure che fosse stato scelto di proposito un professionista per cosí dire senza grilli per la testa, diligente ma ragionevole.

Se questa era stata l'idea, le cose andarono molto diversamente. Conservatore per inclinazione politica e culturale, animato da un cristallino senso del dovere verso il bene comune, il lavoro di Giorgio Ambrosoli fu decisivo per la sconfitta di Michele Sindona, sia per la sagacia con cui dipanò quell'ingarbugliata matassa di partecipazioni societarie sia per la sua impermeabilità alle lusinghe e alle minacce. Il commissario decise anche di contrastare l'offensiva mediatica del banchiere: una scelta inusuale per il ruolo istituzionale ricoperto, ma indirettamente indicativa dell'influenza che Sindona ancora esercitava. Dall'aprile del 1975 al febbraio dell'anno successivo Ambrosoli concesse cinque interviste[10] in cui fece il punto sugli accertamenti effettuati, controbatté le accuse di Sindona di essersi illegittimamente impossessato delle azioni della Fasco, confermò l'esistenza dei finanziamenti di Sindona alla Democrazia cristiana, manifestò la propria netta opposizione ai piani di salvataggio della Banca Privata, definendoli una «richiesta di beneficenza a spese dello Stato»[11].

Il primo obiettivo del commissario liquidatore era la redazione dello stato passivo della banca fallita. Occorreva individuare a questo fine i creditori ammessi al rimborso, escludendo coloro che direttamente o indirettamente facevano parte del gruppo di controllo ed erano dunque da ritenersi corresponsabili del dissesto. La legge stabiliva che questa operazione fosse compiuta nel volgere di pochi mesi, e cosí fu. In secondo luogo, occorreva determinare dal lato dell'attivo, al netto delle operazioni illegittime o passibili di revocatoria, i crediti della banca effettivamente recuperabili, in modo da poter definire le risorse disponibili per rimborsare i creditori.

La Banca Privata era parte di un intricato sistema costituito da società italiane ed estere. Si trattò quindi di un lavoro assai arduo già nella fase di ricostruzione dei rapporti della banca. Furono esercitate, com'è facile comprendere, forti pressioni per influenzare le scelte del commissario. Cosí fece anche lo Ior, pretendendo – invano – di essere ammesso fra i creditori da rimborsare. Nella definizione del patrimonio effettivo della banca erano fra l'altro essenziali la ricostruzione dei legami della stessa con terzi (ad esempio con il Banco di Roma, il cui comportamento, come sopra menzionato, non era stato scevro da ambiguità) all'immediata vigilia del fallimento, cosí come la determinazione delle somme che le erano state illegittimamente sottratte da chi ne aveva il controllo. Questi accertamenti portarono Ambrosoli a scoprire la contabilità parallela in uso nella banca, la connessa tecnica dei depositi fiduciari e le evidenze sui denari elargiti alla Dc. Si consideri inoltre che il lavoro del commissario era fondamentale anche per l'individuazione dei profili rilevanti a fini penali, di competenza della magistratura. Gli interessi in campo erano dunque numerosi e potenti. Per non urtarli troppo, si sarebbe potuto accertare il piú rapidamente possibile le passività e le attività disponibili, tenendo in qualche modo conto delle convenienze in gioco, e procedere poi ai rimborsi con l'ausilio dei soldi pubblici, che avrebbero coperto le perdite emerse. Ambrosoli compí una scelta opposta. Ciò ne fece un nemico mortale di Sindona.

Obiettivo primario del banchiere era la revoca della messa in liquidazione e – di conseguenza – il venir meno dell'accertamento dello stato d'insolvenza. Ciò avrebbe eliminato il presupposto dell'azione penale in relazione al reato di bancarotta, con evidenti riflessi positivi anche per la sua posizione giudiziaria negli Stati Uniti. In secondo luogo, si sarebbe in questo caso indirettamente dimostrato che la liquidazione non si era resa necessaria a causa delle condizioni finanziarie della banca, ma era stata invece attuata su istigazione dei nemici del banchiere.

Per conseguire questi scopi l'*entourage* di Sindona elaborò quattro piani di salvataggio, il primo nell'autunno del 1976, l'ultimo nel 1978, alla cui elaborazione presero parte anche esponenti del Banco di Roma. L'istituto di Ventriglia era infatti interessato a una soluzione che consentisse di rilevare la rete di sportelli della banca di Sindona (come suggerito nel primo progetto) e comunque di risolvere le pendenze di carattere civile sorte in seguito al fallimento dell'accordo raggiunto in estate, alla vigilia del colpo di scena finale che fece precipitare la situazione.

Senza entrare nei macchinosi dettagli di questi piani, se ne sintetizzano di seguito le quattro caratteristiche essenziali.

La prima era costituita dall'acquisizione dei proventi ottenuti dal consorzio delle tre banche d'interesse nazionale con il «decreto Sindona», emanato alla fine di settembre del 1974. Si trattava come detto dei guadagni risultanti dalle anticipazioni a 24 mesi concesse dal Tesoro alle tre banche d'interesse nazionale a un tasso dell'1 per cento, di 13 punti percentuali inferiore a quelli di mercato. Erano dunque denari pubblici volti a ripianare le perdite subite dalle banche del consorzio. Nei progetti di salvataggio di Sindona erano considerati al pari di una dote ormai conferita alla Bpi, di cui quest'ultima avrebbe potuto disporre al momento della revoca della liquidazione.

La seconda caratteristica consisteva nell'abbattimento delle multe comminate alla Banca Privata per i reati valutari commessi, da 85 a 15 miliardi.

Il terzo elemento, esplicitato chiaramente nell'ultimo progetto, era costituito dalla rinuncia da parte del gruppo di Sindona alle cause intentate al Banco di Roma per il presunto mancato rispetto dell'accordo raggiunto nell'estate del 1974.

In cambio di questa rinuncia il Banco avrebbe versato a titolo di transazione definitiva 40 miliardi, che sarebbero però rientrati nelle sue disponibilità tramite una mera operazione contabile (il cosiddetto «giro Capisec»). In questo modo, si sarebbe potuta raggiungere la quota di creditori ammessi al rimborso – sul totale degli aventi diritto – che la legge stabiliva come presupposto per revocare la liquidazione.

Infine, a compendio del quarto progetto, si stimava che le attività della Bpi fossero almeno pari alle passività della stessa, cosí da mostrare, se non altro *ex post*, che la messa in liquidazione era stata in realtà ingiustificata e determinata invece dalla volontà politica di distruggere Sindona.

Il motivo principale della resistenza opposta da Ambrosoli e dalla Banca d'Italia – il cui assenso era necessario per la revoca della liquidazione – era costituito dal rifiuto di ricorrere ai soldi dei contribuenti per salvare colui che aveva depredato la banca. I riflessi sulla reputazione internazionale del sistema bancario italiano sarebbero stati nefasti, con effetti gravi sulla situazione economica del Paese. Per superare questi ostacoli, Sindona agí da un lato sul piano giudiziario/amministrativo con un ricorso contro la dichiarazione di insolvenza e con una denuncia contro il governatore, dall'altro con gli esposti a Paolo Baffi – succeduto a Carli, dopo che questi si era dimesso nell'agosto del 1975 – con l'obiettivo di far sostituire Ambrosoli.

Queste iniziative non portarono a nulla. Per di piú, la sua situazione giudiziaria negli Stati Uniti peggiorò ulteriormente nel corso del 1976, con la menzionata decisione di Bordoni di collaborare con la magistratura di New York. Il banchiere si risolse allora a utilizzare anche altri strumenti di pressione, incaricando due italoamericani vicini alla mafia e alla P2, Paul Rao jr e Philip Guarino, di incontrare Giulio Andreotti e Licio Gelli per sollecitare un loro interessamento in suo favore[12].

Il 28 settembre 1977 Sindona scrisse ad Andreotti una lunga lettera, che merita di essere riportata per intero[13].

Illustre e caro Presidente,
nel momento piú difficile della mia vita sento il bisogno di rivolgermi direttamente a Lei per ringraziarLa dei rinnovati sentimenti di stima che Ella ha recentemente manifestato a comuni amici e per esporLe, proprio in considerazione dell'interessamento da Lei mostrato alle note vicende, la dram-

matica situazione in cui mi sono venuto a trovare insieme ai miei familiari. Il procedimento di estradizione, dietro evidenti pressioni dei giudici italiani che continuano le indagini istituite sulla base di una preconcetta e preordinata mia colpevolezza, ha ormai preso l'avvio. La pesante cauzione imposta a me e ai miei familiari ha esaurito le fonti di finanziamento che avrebbero dovuto consentire la continuità della mia difesa. Certamente, nonostante l'assistenza amichevole e competente dei miei legali, il procedimento seguirà il suo corso fino alla sua conclusione che si prevede a breve scadenza per la pressione esercitata quotidianamente dalle autorità italiane.

La mia difesa, come può immaginare, avrà due punti di appoggio: quello giuridico e quello politico. In un primo momento saranno esposti con competenza e serietà gli argomenti giuridici, ma subito dopo sarò costretto mio malgrado a presentare, per capovolgere a mio favore la situazione, i reali motivi per cui è stato emesso a mio carico un ingiusto mandato di cattura, farò cioè presente, con opportune documentazioni, che sono stato messo in questa situazione per volontà di persone e gruppi politici a Lei noti, che mi hanno combattuto perché sapevano che combattendo me avrebbero danneggiato altri gruppi a cui io avevo dato appoggi con tangibili ed ufficiali interventi.

Ho dovuto constatare purtroppo che gli sforzi dei pochi autorevoli amici rimastimi e dei miei legali hanno trovato spesso ostacoli durissimi, ed è difficile prevedere, così continuando, una conclusione a breve scadenza delle trattative in corso. E ciò è tanto più incomprensibile ed ingiustificabile quando si pensa che si tratta soltanto di formalizzare accordi già discussi ed in linea di massima raggiunti sin dal mese di settembre 1974 con il Banco di Roma.

Ulteriori perdite di tempo potrebbero, oltre che essere dannose per ciò che ho detto in merito all'estradizione, compromettere definitivamente la possibilità o la convenienza di tali accordi. Mi riferisco in modo particolare ai termini processuali del giudizio di opposizione della sentenza dichiarativa dello stato di insolvenza, al giudizio avanti il Tar del Lazio per l'annullamento del decreto del ministro del Tesoro e delle procedure intentate contro la Capisec e la Finambro e ai termini di prescrizione o di decadenza di talune azioni che dovrei iniziare per una più completa difesa dei miei interessi. Perché le azioni intraprese siano sostanzialmente valide e determinanti, e cioè perché esse portino a rendermi quella giustizia che merito, è assolutamente indispensabile che si pervenga alla revoca dello stato di insolvenza e della liquidazione coatta della Banca Privata Italiana: presupposti necessari per l'estinzione dei capi di imputazione relativi ai presunti reati fallimentari.

Le proposte di accordo discusse con il Banco di Roma prevedono anche l'attuazione di operazioni tecniche necessarie al raggiungimento dello scopo che ci siamo prefissi. L'avv. Rodolfo Guzzi, che come sa segue le trattative in corso e mi rappresenta per il raggiungimento dell'accordo, è a Sua completa disposizione per illustrarLe in tutti i particolari le azioni che bisogna intraprendere e le volontà che bisogna far incontrare per chiudere una pagina di gravi ingiustizie. Tali accordi d'altra parte non solo sistemerebbero la Banca Privata Italiana, dando la meritata soddisfazione a tanti piccoli azionisti che hanno riposto fiducia in un sano gruppo privato prima e nelle dichiarazioni del Banco di Roma poi, ma darebbero anche a quest'ultimo Istituto di credito la tranquillità necessaria ad operare in campo nazionale ed internazionale senza le gravi preoccupazioni per i rischi a cui andrebbero incontro se l'azione giudiziaria intrapresa dovesse continuare fino in fondo.

So e sono convinto che Ella ha già fatto ogni sforzo per agevolare la soluzione del problema della Società Generale Immobiliare, e con essa la soluzione del mio problema. La sistemazione, di per sé, di questa società non migliora purtroppo assolutamente la mia posizione di accusato, ma può forse togliermi dei seri mezzi di attacco che io ho nei confronti della controparte. Tale sistemazione è per me valida soltanto se attuata contemporaneamente a quella della Banca Privata Italiana. Ho il dubbio che non sia stata esaminata la situazione nel suo reale e concreto aspetto, ed è per ciò che insisto nella preghiera di consentire a Guzzi una diretta esposizione di una completa analisi della situazione.

Le chiedo infinite scuse per averLa disturbata con questi miei problemi in un momento in cui Ella è particolarmente occupata nel governo del nostro Paese. L'ho fatto sia perché so che Ella si è costantemente e benevolmente interessata a questa mia situazione, sia perché ritengo che la chiusura di situazioni difficili e complesse che coinvolgono anche enti o istituzioni di Stato possa, nell'interesse della collettività e del Paese, starLe a cuore.

Gradisca, La prego, i miei piú cordiali e devoti saluti.

Michele Sindona

I rapporti fra Sindona e il presidente del Consiglio erano iniziati molti anni prima:

> Il ricordo preciso della conoscenza con il dottor Sindona risale a quando come ministro partecipai (deve essere stato verso la fine degli anni Cinquanta, agli inizi degli anni Sessanta...) ad alcune riunioni alla Camera di Commercio, all'Unione commercianti o ad altri tipi di riunione, a Milano in modo particolare. Mi colpí abbastanza tra coloro i quali prendevano la parola questa persona, per una certa capacità di sintesi ed anche per alcune idee che esponeva in campo economico: del resto ricordo che mi fu allora presentato da Mattioli. Ricordo anche che era presente in una riunione il presidente della Snia-Viscosa, Marinotti. Essi ne parlarono in termini molto elogiativi[14].

Il filo rimase intatto nel corso degli anni. Lo conferma un incontro della seconda metà del 1973 sollecitato dal genero di Sindona, Piersandro Magnoni, alla ricerca di sponde a cui appoggiarsi per contrastare la resistenza opposta dal ministro del Tesoro La Malfa alla richiesta di aumento di capitale per la Finambro avanzata dal suocero. L'8 ottobre Magnoni scrisse ad Andreotti esprimendogli particolare gratitudine «anche a nome dell'avvocato Sindona, per la simpatia e la stima che Ella ha voluto dimostrare nei nostri confronti: se da una parte questo ci onora, dall'altra ci impegna sempre piú a mettere a disposizione del nostro Paese e dei suoi uomini piú rappresentativi le nostre umili forze»[15]. Nel dicembre dello stesso anno, Andreotti, da giugno non piú presidente del Consiglio ma semplice parlamentare, partecipò a una tavola rotonda a New York su sollecitazione del vicepresidente Nelson Rockefeller. Sindona colse l'occasione per invitarlo a un banchetto ufficiale all'hotel *St Regis* e per millantare in quella sede le benemerenze acquisite per una sua presunta azione di difesa della lira contro la speculazione internazionale[16]. Andreotti ci andò perché, spiegò anni dopo alla Commissione Sindona, «era un rispettato esponente del mondo bancario americano ed anche in Italia non vi erano assolutamente in quel momento delle riserve nei suoi confronti»[17]. Andreotti non raccontò però alla Commissione che Moro, a quel tempo ministro degli Esteri, e l'ambasciatore d'Italia a Washington Egidio Ortona premettero su di lui perché rifiutasse un invito pubblico da parte di un personaggio chiacchierato e controverso come il banchiere siciliano. «Ma il consiglio dell'Ambasciatore e quello mio, modestissimo, che vi si aggiunse, non furono tenuti in conto e il banchetto si fece come previsto. Forse non fu un gran giorno per la Dc»[18], concluse Moro nel memoriale scritto nel 1978 nella prigione delle Brigate Rosse. Nelle stesse pagine lo statista svelò anche i retroscena della promozione di Mario Barone ad amministratore delegato del Banco di Roma[19], poi chiariti anche sul piano giudiziario nel processo istruito a Palermo contro Andreotti per associazione a delinquere di stampo mafioso.

Nel settembre del 1977, quando Sindona gli scrisse la lettera, Andreotti era a capo di un governo che per la prima volta dal 1947 non doveva fronteggiare l'opposizione del Pci e che preparava l'ingresso dei comunisti nella maggioranza che avrebbe sostenuto i governi di solidarietà nazionale. La nuova costellazione politica non era solo il riflesso dei risultati elettorali che avevano sancito nel 1976 l'avanzata elettorale comunista e il recupero democristiano rispetto alla sconfitta dell'anno precedente. Discendeva soprattutto dalla necessità di contrastare la destabilizzazione dell'economia e l'acuirsi delle tensioni sociali e politiche. Per Aldo Moro ed Enrico Berlinguer la solidarietà nazionale preludeva a una prospettiva di piú lunga lena, volta a superare l'impossibilità del Pci di governare e a creare cosí le condizioni per un'effettiva alternanza. Per altri, come il presidente Andreotti, il nuovo assetto era soprattutto necessitato dalle circostanze, serviva pragmaticamente per governare a vista, senza illusioni di piú ampio respiro e senza discontinuità apprezzabili rispetto allo stile di gestione delle «cose della politica» che aveva caratterizzato sino ad allora soprattutto il partito di maggioranza relativa.

Nel corso del 1976 la lira si svalutò di circa il 30 per cento rispetto alle principali monete; in gennaio la pressione speculativa fu tale da imporre per quaranta giorni la chiusura del mercato dei cambi. I vincoli amministrativi sulle transazioni con l'estero divennero ancora piú stringenti. Il deprezzamento costituiva il sintomo piú evidente della grave difficoltà della politica nel sostenere un'economia scossa dalla recessione se non al costo di alimentare la spirale inflazionistica, l'ulteriore deprezzamento della lira e il disavanzo pubblico. Stava venendo meno la fiducia nelle prospettive economiche del Paese, anche per la forte incertezza politica, cui contribuiva l'attacco dei gruppi armati, a opera soprattutto delle Brigate Rosse. In maggio, il procuratore generale di Genova, Francesco Coco, fu vittima del primo omicidio programmato dall'organizzazione terroristica.

In questo contesto, la posizione – anche personale – del presidente del Consiglio tendeva a rafforzarsi, grazie all'invocato impegno da parte di tutte le forze politiche a fare fronte comune nonostante gli steccati esistenti. Ciò consentiva obiettivamente ad Andreotti maggiori margini di libertà nel gestire financo rapporti istituzionalmente non tollerabili, come quello con il bancarottiere latitante.

Qual era l'interesse del leader democristiano nel sostenere Sindona? Un motivo molto rilevante era costituito dal forte legame del banchiere con il Vaticano, che ne faceva l'alfiere della finanza cattolica. Quali che fossero gli autentici moventi del suo comportamento, non è comunque difficile immaginare che la questione che premeva ad Ambrosoli e alla Banca d'Italia, l'inaccettabilità morale e civile di salvare un bancarottiere con i denari pubblici, potesse essere considerata d'importanza secondaria dal presidente del Consiglio. Posto che non era certo la prima volta che si ricorreva allo Stato per rimediare a un fallimento bancario, egli poteva sospettare che l'accanimento di Ambrosoli contro ogni ipotesi di ragionevole sistemazione del caso Sindona svelasse probabilmente altri, meno nobili, intenti o che segnalasse una mancata comprensione delle dinamiche del potere. È questo – con ogni evidenza – il senso del cinico commento espresso da Andreotti sull'assassinio di Ambrosoli trent'anni dopo: «[...] era una persona che in termini romaneschi se l'andava cercando»[20].

Andreotti si attivò per aiutare Sindona, mantenendo un comportamento nel complesso cauto e mai esponendosi troppo, come nello stile dell'uomo. Secondo Giuseppe Guarino (giurista, sindaco della Banca d'Italia dal 1967 al 1987, successivamente deputato democristiano, ministro dell'Industria e delle Finanze rispettivamente nei governi Fanfani del 1987 e Amato del 1992), nel corso di una sua visita a New York a metà degli anni Settanta entrò in contatto con Della Grattan, una stretta collaboratrice di Andreotti negli Stati Uniti, la quale cominciò subito a premere su di lui perché, forte della sua influenza nella Banca d'Italia, sensibilizzasse quest'ultima a favore di Sindona. Guarino riferí immediatamente ad Andreotti, lamentandosi dell'indebita intromissione. Costui intervenne subito, facendo cessare le pressioni[21].

Mentre non vi è evidenza di azioni specifiche del politico democristiano per indurre l'istituto di emissione a sostituire Ambrosoli, negli atti giudiziari si fa riferimento a interventi volti a condizionare l'attività dei magistrati, in particolare della Cassazione, senza che ne vengano tuttavia mai chiarite le modalità concrete di attuazione[22]. Con certezza Andreotti si impegnò invece a lungo per facilitare il buon esito dei piani di salvataggio che Sindona elaborava. Incontrò innumerevoli volte i suoi emissari, in primo luogo l'avvocato Guzzi, che difese Sindona dall'ottobre 1974 al maggio 1980. Impiegò come suoi rappresentanti uomini del proprio *entourage* come Fortunato Federici, noto costruttore romano nonché vicepresidente del Banco di Roma. Incaricò membri dell'esecutivo come Gaetano Stammati e il proprio braccio destro Franco Evangelisti di insistere con la Banca d'Italia per ottenere il via libera ai piani. Gaetano Stammati era un *grand commis* democristiano iscritto alla P2[23], piú volte ministro nei governi guidati da Andreotti fra il 1976 e il 1979, poi ancora in quello successivo presieduto da Cossiga. Il suo interessamento ben simboleggia una delle tante linee di sutura delle molteplici reti che si saldavano in quel «complesso politico-affaristico-giudiziario» (il termine è di Paolo Baffi)[24] che si mobilitò in favore di Sindona e di Calvi.

Nel settembre del 1978 Evangelisti convocò a palazzo Chigi Mario Sarcinelli, il vicedirettore generale della Banca d'Italia responsabile per la vigilanza sul sistema bancario, mostrandogli (senza consegnarle) due bozze di lettera, indirizzate l'una all'avvocato Ambrosoli, l'altra al consorzio delle tre banche d'interesse nazionale che erano intervenute nella liquidazione della Privata. Nelle lettere si prefigurava la rivitalizzazione della banca di Sindona, lungo le linee dell'ultimo piano di salvataggio ideato dai collaboratori del banchiere. Tre mesi dopo, Stammati, che nelle sue funzioni di ministro dei Lavori pubblici non aveva peraltro alcun titolo istituzionale per occuparsi della questione, si rivolse a Carlo Azeglio Ciampi, all'epoca direttore generale dell'istituto di emissione, pregandolo di ricevere Ambrosoli e Guzzi affinché potesse essere reso edotto delle proposte di sistemazione della Privata.

Le obiezioni, preliminari ma nette, di Sarcinelli furono sufficienti a far desistere Evangelisti; negativa fu anche la risposta data dal vertice della Banca alla richiesta di Stammati.

Le pressioni esercitate in quel torno di tempo sull'istituto di emissione dal «complesso politico-affaristico-giudiziario» non si limitavano al salvataggio di Sindona. Dal 1977 era sul tappeto la questione Italcasse, l'acronimo telegrafico con cui veniva indicato l'Iccri (Istituto di Credito delle Casse di Risparmio Italiane), che aveva il compito di investire la liquidità raccolta dalle casse. Nell'autunno il democristiano Giuseppe Arcaini, da vent'anni alla presidenza dell'istituto, era stato costretto a dimettersi perché coinvolto nell'elargizione di ampie somme di denaro a politici e imprenditori amici, in primo luogo alla corrente andreottiana della Dc. Colpito da mandato di cattura, in dicembre era espatriato. L'Italcasse era uno dei piú importanti snodi del potere democristiano: il «grande elemosiniere della Dc», come lo definí Aldo Moro nel suo memoriale[25]. All'Italcasse erano legate le sorti dei fratelli Caltagirone[26], i costruttori romani vicini al presidente del Consiglio indebitati verso l'istituto per centinaia di miliardi, secondo i magistrati inquirenti senza che i crediti fossero accompagnati dalle necessarie garanzie. L'Italcasse finanziava anche società come la Nuova Flaminia, facente capo a elementi della banda della Magliana e a boss mafiosi come Domenico Balducci e Pippo Calò.

La vicenda Italcasse fu oggetto nel 1978-79 di un'intensa campagna condotta da Mino Pecorelli sul suo periodico «OP» sulla base di informazioni confidenziali – molto spesso affidabili – raccolte grazie alle sue molteplici relazioni con magistrati, piduisti, militari, dirigenti dei servizi segreti, politici, imprenditori[27]. Il giornalista aveva anche pubblicato per due volte la lettera di Sindona a Carli sopra riportata. «Notizie, si sa, ad un certo livello non esistono. Esistono invece fughe di notizie. Cioè quelle soffiate, quelle indiscrezioni con cui ciascun centro di potere in questa Repubblica pluralistica cerca di condizionare, ammonire, minacciare altri centri di potere», spiegava Pecorelli ai suoi lettori nel 1976, con sicura capacità analitica e consapevolezza del proprio ruolo[28]. La sera del 20 marzo 1979, appena uscito dalla redazione di «OP» in una via del quartiere Prati a Roma, Mino Pecorelli fu assassinato nella sua autovettura a colpi di pistola. Vent'anni dopo Giulio Andreotti fu imputato di aver commissionato quell'omicidio per impedire – così dichiarò il pentito di mafia Tommaso Buscetta – che Pecorelli rivelasse informazioni sul memoriale di Moro che avrebbero potuto porre fine alla sua carriera politica. Assolto nel 1999 in primo grado, Andreotti fu condannato a ventiquattro anni in appello. Nel 2004 la Cassazione annullò la sentenza di secondo grado senza rinvio alla Corte d'Appello. Sicari e mandanti dell'omicidio sono rimasti a tutt'oggi ignoti.

Con l'avvento del governatore Baffi, i rapporti della Banca d'Italia con il variegato mondo delle casse di risparmio si fecero nel loro insieme più difficili perché l'istituto di emissione appariva ora meno sensibile, nell'esplicare le proprie funzioni di supervisione, alla tutela degli interessi delle forze che in quelle banche avevano una delle principali basi di potere.

Nell'agosto del 1977 l'istituto di emissione aveva avviato un'ispezione presso l'Italcasse; nel febbraio successivo dopo le dimissioni di Arcaini aveva promosso il commissariamen-

to dell'istituto; in marzo predisponeva i rapporti ispettivi
da cui emergevano gravi irregolarità nella concessione dei
finanziamenti e fissava le condizioni per sistemare i debiti
dei Caltagirone.

Risolvere la questione delle pendenze dei Caltagirone verso l'Italcasse era in effetti l'obiettivo dei costruttori e dei loro potenti amici. Occorreva però la «collaborazione» di via
Nazionale. L'Italcasse era fortemente esposta anche verso
il gruppo Sir-Rumianca, un grande gruppo chimico attivo
soprattutto nel Mezzogiorno con a capo Nino Rovelli, imprenditore al centro di un'estesa rete di relazioni politiche,
di cui Andreotti era anche in questo caso elemento di spicco.
Il gruppo aveva sostenuto la propria espansione ricorrendo
in misura massiccia a finanziamenti da parte di importanti
banche tra cui, oltre l'Italcasse, il Credito industriale sardo
e l'Istituto Mobiliare Italiano, ottenuti spesso grazie all'in-
tercessione di esponenti politici che venivano per questo ri-
compensati in denaro. Nel 1977 la situazione finanziaria del
gruppo si era fatta insostenibile, al punto da provocare l'intervento del governo.

Anche sulla vicenda Sir (Società Italiana Resine) Mino
Pecorelli era attivissimo, svelando retroscena, insinuando,
lanciando messaggi allusivi a chi sapeva intendere. All'inizio
del 1979 entrò in possesso della copia di alcuni assegni emessi da una società del gruppo Sir a favore di Giulio Andreotti; rinunciò da ultimo a pubblicarli in cambio di finanziamenti al suo periodico «OP»[29].

In questo quadro maturò l'attacco contro la Banca d'Italia. Il diario di Paolo Baffi, *Cronaca breve di una vicenda giudiziaria*[30], rende con penosa efficacia l'atmosfera angosciante
di quei mesi, in cui voci messe in circolazione ad arte alimentavano senza tregua una spirale intimidatoria.

Il 16 gennaio 1978 il governatore annotava:

> Vengo informato da persona in contatto con Gallucci [il pubblico mini-
> stero cui era affidata l'indagine sui finanziamenti dalla Sir, *N.d.A.*] che que-
> sti sta considerando di inviare un avviso di reato a me ed Ercolani [vicedi-
> rettore generale della Banca d'Italia, *N.d.A.*] per concorsi in truffa a danno
> dello Stato a causa degli impianti che il gruppo Rovelli avrebbe fornito a se
> stesso ad alto prezzo.

Il 10 febbraio poi scriveva:

> Una persona che è in contatto con Gallucci ci ricorda che questi sta occupandosi di possibili profili penali dei finanziamenti a Rovelli e che è molto premuto per la sistemazione del debito dei Caltagirone verso l'Iccri.

E il 15 marzo:

> Ci giunge da fonte sicura la notizia che presso il Pm Jerace si trovano richieste di avvisi di reato (o di mandato di cattura) nei confronti di esponenti della Banca d'Italia per non aver attuato ispezioni all'Iccri prima della data in cui l'ispezione fu eseguita [agosto 1977].

Il 20 marzo, pochi giorni dopo il rapimento di Moro, Baffi – commentando la notizia pubblicata da un settimanale, secondo cui egli compariva negli elenchi degli obiettivi da colpire da parte delle Brigate Rosse [N.d.A.] – sottolineava «il sovraccarico che si determina nel dirigente [...] quando deve attendere ai problemi del suo ufficio e al tempo stesso guardarsi dal fuoco incrociato del terrorismo e della magistratura».
E annotava quindi il 3 aprile:

> Vengo informato che un avvocato dei Caltagirone li sta consigliando di eccepire la illegittimità dell'intervento della Banca d'Italia nella proposta di sistemazione del loro debito. Finardi fornirebbe al «Borghese» dati interni per alimentare la campagna contro «l'inafferrabile duo Baffi-Sarcinelli».

Giampaolo Finardi, nei pochi mesi in cui subentrò ad Arcaini all'Italcasse, tentò invano di sistemare la situazione debitoria dei Caltagirone. Aldo Moro scrisse di lui durante la prigionia:

> [...] essendo in discussione la improcrastinabile dimissione e sostituzione del Direttore Generale Arcaini, dalla stessa bocca del Vice Direttore dell'Istituto ho appreso che la sostituzione fu pattuita con persona estranea all'ambiente (che non conosco e non voglio giudicare) dallo stesso interessato all'operazione, il Caltagirone, il quale si muoveva come investito di funzione pubblica, incaricato da chi ha il potere di tutelare gli interessi pubblici, per trattare invece gli interessi piú privati del mondo[31].

In data 8 aprile il governatore Baffi riportava: «Una persona del Palazzo ha "avvertito" il Ministro Pandolfi che la Magistratura romana è in atteggiamento "molto critico" verso la Banca d'Italia». Il 15 giugno: «Da fonte molto autorevole apprendo che in tema di Italcasse la giustizia ci contesterà [...]».
Nella seconda metà del 1978, il diario di Baffi registrava soprattutto il continuo coinvolgimento della Banca d'Italia

nella ricerca ormai convulsa di soluzioni per risolvere il problema del gruppo Sir e le contemporanee pressioni di Evangelisti e Stammati sopra menzionate per strappare il consenso dell'istituto al salvataggio di Sindona. All'inizio del 1979 riprese a pieno ritmo l'offensiva dei magistrati. Con riferimento all'Italcasse, la Banca d'Italia fu minacciata di essere accusata di omissione di vigilanza per un finanziamento erogato alla Immobiliare, la società già di Sindona. Per quanto riguardava la Sir, venivano alimentate voci secondo cui sarebbe stata imputata alla Banca la mancata segnalazione alla magistratura degli illeciti penali emersi in particolare nell'ispezione effettuata al Credito industriale sardo. Notizie in tal senso venivano fatte filtrare a cadenza sempre più serrata.

Il 26 febbraio Baffi riportava:

> Vassalli [resistente, giurista, parlamentare socialista dal 1968 al 1983, più volte ministro di Grazia e Giustizia, nel 1999-2000 presidente della Corte costituzionale, *N.d.A.*], ha visto Gallucci e gli ha parlato di un attacco contro la Banca d'Italia comparso nel «Messaggero» di ieri. Pare che la Banca sia accusata di omissione di vigilanza nei riguardi dell'Italcasse e che avevano in mente di inviare comunicazioni giudiziarie a tappeto, anche a me e a Carli.

Il 1° marzo:

> Sarcinelli apprende da fonte sicura che il cronista giudiziario del «Tempo», Salomone, è stato informato da Alibrandi [giudice istruttore incaricato dell'indagine Sir, *N.d.A.*] del prossimo invio di una comunicazione giudiziaria allo stesso Sarcinelli. Essa prenderebbe a motivo il finanziamento di 12 miliardi concesso dall'Italcasse all'Immobiliare.

Quattro giorni dopo:

> «Il Fiorino» nei giorni scorsi ha continuato ad attaccare la Banca e il Governatore con evidente scopo diffamatorio [...] Apprendiamo che il procuratore Jerace avrebbe domandato al giudice Pizzuti di incriminare per i 12,5 miliardi all'Immobiliare: Ventriglia [all'epoca direttore generale del Tesoro, *N.d.A.*], Sarcinelli, Addario e Calleri di Sala [già rispettivamente condirettore generale e presidente dell'Italcasse, *N.d.A.*].

Il 22 marzo:

> Maccanico [nel 1978 nominato dal neopresidente Sandro Pertini segretario generale della Presidenza della Repubblica, *N.d.A.*] mi chiama al Quirinale per dirmi di avere saputo che mi invieranno una comunicazione giudiziaria, e forse spiccheranno mandato di cattura contro di me e Sarcinelli perché non avrei segnalato alla Magistratura irregolarità nei finanziamenti (di chi?) a Sir-Rumianca emergenti da un rapporto della vigilanza.

Lo scrittore Piero Chiara ha descritto vividamente il clima in cui allora si svolse in un ristorante romano una cena con Baffi e altri amici:

> Ogni tanto arrivava un fedele a riferire gli umori della Procura. Pareva che stessero emettendo il mandato di cattura. Poi pareva di no. Pareva di vivere sotto Nerone, quando il sovrano poteva decidere da un momento all'altro di far sapere a Seneca e a Burro che dovevano morire[32].

Il 23 marzo Baffi si recò da Andreotti per fargli

> [...] rapporto sui problemi che mi angustiano [...] [per manifestargli] l'intenzione di ritirarmi non oltre il 19 agosto (quarto anniversario della nomina) [...] Prende nota diligentemente e non si oppone; dice solo che mi si dovrà trovare un altro posto nella società italiana.

Le tensioni politiche erano acute dallo sfilacciamento della maggioranza che sosteneva il governo di solidarietà nazionale e dall'incessante attacco terroristico: nei primi tre mesi del 1979 furono assassinate più di dieci persone, tra cui Guido Rossa – il sindacalista comunista della Cgil ucciso a Genova dalle Brigate Rosse – e il magistrato Emilio Alessandrini, ammazzato a Milano dai terroristi di Prima Linea.

Il 24 marzo, quattro giorni dopo l'uccisione di Pecorelli, il giudice Alibrandi, su richiesta del sostituto procuratore Infelisi, spiccò un mandato di cattura nei confronti di Sarcinelli, che fu prelevato dai carabinieri nel suo ufficio di via Nazionale e tradotto a Regina Coeli. A Baffi, in considerazione dell'età avanzata (68 anni) e delle ripercussioni internazionali che l'arresto del governatore avrebbe determinato, fu notificato un mandato di comparizione. Imputazione per entrambi: favoreggiamento e interesse privato in atti d'ufficio. In concreto si trattava di quanto anticipato due giorni prima da Antonio Maccanico al governatore, con riferimento all'ispezione effettuata dalla Banca d'Italia presso il Credito industriale sardo. Le accuse si rivelarono del tutto pretestuose. Entrambi furono prosciolti pienamente nel giugno del 1981, ma Baffi fu colpito nel profondo dalla vicenda e si dimise nell'agosto del 1979. Sarcinelli lasciò l'istituto poco dopo.

L'impatto dell'attacco alla Banca allora fu enorme, anche all'estero. Innanzitutto, per l'apertura traumatica di un conflitto istituzionale, all'epoca senza precedenti in Italia; in secondo luogo, a causa della reputazione cristallina di cui godeva in larga parte del Paese il vertice della Banca d'Italia; infine per i contorni inquietanti, sia pure allora solo in parte percepiti, dell'iniziativa di Alibrandi e Infelisi. Il primo era notoriamente vicino all'estrema destra missina; sul secondo erano già filtrate indiscrezioni – confermate anni dopo in sede giudiziaria[33] – sui suoi rapporti con Pecorelli, che aveva incontrato il sostituto procuratore per l'ultima volta il giorno stesso dell'omicidio.

La mobilitazione degli economisti in difesa di Baffi e Sarcinelli fu imponente. Oltre una cinquantina di loro, fra cui i piú noti, senza distinzione di scuole di pensiero o vicinanze politiche firmarono una dichiarazione in cui esprimevano la loro completa solidarietà a Baffi e Sarcinelli e «il senso di grave allarme per le sorti della democrazia in Italia». Anche la grande maggioranza delle forze politiche manifestò forti preoccupazioni per l'attacco all'istituto di emissione; la sera stessa, il ministro del Tesoro, il democristiano Filippo Maria Pandolfi, dichiarò pubblicamente in televisione la propria solidarietà alla Banca d'Italia.

Gli interessi che l'istituto di emissione aveva urtato erano collegati fra loro, facevano in larga misura riferimento agli stessi ambienti. Rodolfo Guzzi, l'avvocato che curava in prima persona il buon esito dei piani di salvataggio per conto di Sindona, testimoniò che «andato a trovare nel suo studio Giulio Andreotti per parlare del caso Sindona, aveva dovuto attendere perché in attesa vi erano già Nino Rovelli e Gaetano Caltagirone»[34]. Gli organi di stampa che, in sintonia con l'iniziativa di Alibrandi e Infelisi, si impegnarono piú di tutti nella martellante campagna diffamatoria contro la Banca d'Italia, erano in larga parte i medesimi che negli stessi mesi militavano al fianco di Sindona: «Il Fiorino», «Il Secolo d'Italia», «Il Borghese».

Il 21 aprile 1979 Alibrandi dichiarò apertamente al «Messaggero» che «c'è da augurarsi che Sarcinelli impari la lezione», quella cioè di non operare a senso unico, perseguitando per mancanza di obiettività soprattutto le banche legate alla Democrazia cristiana[35]. Un elemento fondamentale tuttavia non fu allora percepito, neanche da chi ne era piú direttamente coinvolto. Il comportamento dell'istituto di emissio-

ne era decisivo anche per i destini del Banco Ambrosiano di
Roberto Calvi, dove il governatore aveva disposto nell'aprile
del 1978 un'ispezione capeggiata da Giulio Padalino, che si
era conclusa alla fine dell'anno. Dal rapporto ispettivo emergevano dubbi sull'effettivo ruolo delle consociate estere del
gruppo, la cui attività rimaneva però indecifrabile, data l'impenetrabilità delle legislazioni bancarie dei Paesi in cui esse
erano incorporate. In dicembre, comunque, erano stati segnalati al sostituto procuratore Emilio Alessandrini possibili profili penali risultanti dall'ispezione, limitatamente però
alla costituzione illegale di disponibilità valutarie all'estero.

Secondo Francesco Pazienza, un faccendiere a lungo alle di-
pendenze dei servizi, fu soprattutto questa ispezione a indurre
nel gennaio del 1979 i capi della P2 convenuti a Montecarlo a
colpire Sarcinelli[36]. Il senatore democristiano Beniamino Andreatta, che nell'agosto del 1982 firmò in qualità di ministro
del Tesoro il decreto di liquidazione del Banco Ambrosiano e
che fu in prima fila nel difendere la Banca d'Italia nella primavera del 1979, testimoniò anni dopo che nel maggio del 1982
Sarcinelli, «pallido in volto e con tono amaro», gli disse che
«era finito in galera proprio per Calvi, giacché il caso giudiziario che gli era occorso era stato montato in concomitanza con
la conclusione dell'ispezione al Banco Ambrosiano del 1978
e proprio a causa della stessa»[37]. Il cerchio si chiudeva. Calvi, P2, banda della Magliana, Sindona: eccoli, gli elementi
interconnessi del «complesso» denunciato da Baffi.

E Andreotti? Rimase silente, imperturbabile, contribuen-
do ad alimentare i sospetti di una connivenza o quantomeno di una «benevola negligenza» nei confronti di chi aveva
orchestrato il colpo contro la Banca d'Italia. Giuseppe Guarino ricordò peraltro anni dopo che su suo stimolo Andreotti intervenne con successo presso Alibrandi per far revocare l'interdizione dai pubblici uffici disposta dal giudice nei
confronti di Sarcinelli all'atto della concessione della libertà
provvisoria, scongiurando cosí le dimissioni dell'intero direttorio nonché «salvando la Banca d'Italia»[38]. Come notò
lo stesso Guarino, l'imminenza delle elezioni politiche, che
si sarebbero tenute il 3 giugno 1979, tre giorni dopo l'assemblea generale della Banca d'Italia, suggeriva al presidente del

Consiglio di fare il possibile per evitare clamorose dimissioni pubbliche del vertice di un'istituzione tanto stimata. Forse il presidente valutava che il colpo inferto alla Banca d'Italia con «l'azzoppamento» di Baffi e Sarcinelli fosse stato sufficiente e che andare oltre avrebbe comportato rischi eccessivi anche in termini di immagine del Paese a livello internazionale. Il suo pragmatismo lo aveva infatti indotto a delegare in quegli stessi mesi proprio il governatore Baffi a rappresentare anche sul piano politico il governo italiano negli estenuanti negoziati con i leader europei sulle modalità di partecipazione dell'Italia al costituendo Sistema monetario europeo, che avrebbe di lí a poco legato fra di loro le valute del continente.

Andreotti, quasi a svelarne l'intima persuasione, tornò però velenosamente sulla figura del governatore Baffi il 28 febbraio del 1990, in occasione della commemorazione in Parlamento di Sandro Pertini, scomparso pochi giorni prima:

> L'intransigenza verso la dittatura fu la nota dominante del comportamento [di Pertini, *N.d.A.*]. A chi gli proponeva [nel 1982, *N.d.A.*], per il Senato a vita, un illustre bancario ineccepibile sotto tutti gli aspetti, rispose: non era con me quando lottavamo contro il fascismo. E scelse Camilla Ravera[39].

Presumibilmente, la recente pubblicazione postuma del diario di Baffi aveva irritato Andreotti al punto di trasformare un ex governatore in un – per quanto illustre – «bancario» dall'incerta intransigenza morale.

Sul fronte americano Sindona non era nel frattempo rimasto inerte. Nel novembre del 1976, il banchiere siciliano trasmise nove dichiarazioni giurate (cosiddetti *affidavit* negli ordinamenti di *common law*, caratterizzati da valore testimoniale in sede giudiziaria) al giudice distrettuale di New York, con l'obiettivo di contrastare la minaccia di estradizione, dimostrando la persecuzione attuata ai suoi danni in Italia a causa della sua ferma opposizione al comunismo. Il contributo piduista all'operazione fu determinante. Licio Gelli dichiarò:

> Questi attacchi [contro di me, *N.d.A.*] sono aumentati man mano che il potere dei comunisti è cresciuto in Italia. Sono notoriamente anticomunista e sono il capo di una loggia massonica di nome P2. L'influenza dei comunisti è già giunta in certe aree del governo (particolarmente nel ministero della Giustizia) dove, durante gli ultimi cinque anni, c'è stato uno spostamento dal centro verso l'estrema sinistra. Ho passato tutta la mia vita combattendo il comunismo. Quando avevo 17 anni ho lottato contro i comunisti in Spagna

assieme a mio fratello. Soltanto io sono tornato vivo [...] [Michele Sindona] è un bersaglio per loro [i comunisti, *N.d.A.*] e viene costantemente attaccato dalla stampa comunista. L'odio dei comunisti per Michele Sindona trova la sua origine nel fatto che egli è anticomunista.

[...] Era altrettanto cosa nota nell'ambito politico e finanziario e nell'ambiente della stampa che Ugo La Malfa, allora [all'epoca della richiesta dell'aumento di capitale della Finambro, *N.d.A.*] ministro del Tesoro, nutriva un antagonismo personale e politico per Michele Sindona, basato sul fatto che quest'ultimo appoggiava la libera impresa ed era contrario alla nazionalizzazione dell'economia.

[...] In base alla mia conoscenza della situazione italiana, se Michele Sindona dovesse rientrare in Italia egli non avrebbe un equo processo e la sua stessa vita potrebbe essere in grave pericolo[40].

Similmente Carmelo Spagnuolo, ex procuratore generale a Roma, all'epoca presidente della quinta sezione della Cassazione, un piduista particolarmente vicino a Gelli:

Sono a conoscenza delle accuse portate contro Michele Sindona [...] le ho approfondite per la prima volta quando, assieme ad altri quattro membri della massoneria, della fratellanza di piazza del Gesú, fui incaricato dal gran maestro dei massoni in Italia di indagare sui fatti per stabilire se Michele Sindona dovesse essere espulso dalla massoneria per comportamento indegno. In qualità di membro di questa commissione ho effettuato indagini al riguardo e [...] ho presentato un rapporto [...] la conclusione di questo rapporto è che non solo le accuse non sono fondate ma la stessa loro affrettata formulazione conferma ciò che molti in Italia sanno, e cioè che Michele Sindona è stato accanitamente perseguitato soprattutto per le sue idee politiche.

Seguiva una critica sul piano procedurale all'azione dei magistrati e a Ugo La Malfa per la mancata convocazione del Comitato interministeriale che avrebbe dovuto deliberare sulla richiesta di aumento di capitale della Finambro. Spagnuolo denunciava quindi la crescente politicizzazione della magistratura a opera della sinistra e concludeva con un riferimento preciso a recenti atti di terrorismo compiuti in Italia:

Che in Italia esista una grave situazione è fatto indiscutibile; magistrati degnissimi per scrupolosità e per il loro impegno giudiziario sono stati uccisi con motivazioni chiaramente politiche. Basta far riferimento all'uccisione avvenuta a Genova nella persona del procuratore generale della Repubblica, Francesco Coco, e quella del dottor Occorsio, seguita a Roma dopo breve spazio di tempo. Io stesso sono incluso nella lista dei magistrati da uccidere.

[...] Tenuto conto dell'atmosfera di tensione che regna oggi in Italia e di cui ho messo in evidenza taluni aspetti con riferimento alle esecuzioni perpetrate nei confronti dei membri dell'ordine giudiziario, di cui faccio parte, sono indotto a pensare che Michele Sindona tornando in Italia potrebbe correre seri rischi per la sua incolumità personale[41].

Il Gran maestro della massoneria della fratellanza di piazza del Gesú Francesco Bellantonio confermò la deposizione di Spagnuolo. Si badi che l'esplicita dichiarazione dei tre di appartenenza alla massoneria doveva costituire nelle loro intenzioni un punto di forza in un Paese, come gli Stati Uniti, in cui la libera muratoria era un'associazione che godeva tradizionalmente di una reputazione rispettabile.

Un altro *affidavit* fu presentato da Stefano Gullo, strano personaggio siciliano, già comunista, con ampie conoscenze nei servizi d'informazione americani dai tempi della guerra. Oltre ad affermare l'abituale impiego da parte delle banche italiane – non solo quelle di Sindona – della tecnica dei depositi fiduciari per proteggere con l'anonimato una clientela che sarebbe stata altrimenti facilmente oggetto dei piani criminosi della malavita, ribadiva i gravi pericoli in cui il banchiere sarebbe incorso in Italia:

> Le uccisioni e le violenze a sfondo politico di cui sono protagonisti carcerati di destra e sinistra nelle prigioni italiane sono ben documentate dalla stampa italiana. Una volta nelle mani dei suoi accusatori italiani, ci sono gravi dubbi che la vita di Michele Sindona possa essere sicura[42].

Flavio Orlandi, deputato socialdemocratico, ricordò nella sua deposizione come si fosse invano battuto nel 1974 in qualità di segretario del Psdi, all'epoca partito di governo, per sollecitare la convocazione del Comitato interministeriale per il Credito, ritenendo l'ostruzionismo del ministro del Tesoro un'ingiusta discriminazione nei confronti di Sindona. Anna Bonomi Bolchini, la socia del banchiere siciliano in molte intraprese finanziarie, si limitò invece a una dichiarazione anodina in cui confermò di aver trattato con il banchiere l'acquisto, poi sfumato, della partecipazione di controllo della Generale Immobiliare.

Anche John McCaffery, il sodale di Sindona responsabile del Soe durante la guerra e successivamente a capo della Hambros in Italia, attaccò nella sua deposizione le «forze di sinistra antioccidentali che dopo il miracolo economico postbellico creato dal dinamismo e dall'inventiva dell'impresa privata avevano condotto l'Italia all'attuale stato di paralisi e di caos», affermando che Sindona «come uomo d'affari di successo e sostenitore senza riserve del capitalismo e della libera iniziativa era un ovvio bersaglio per la eliminazione da parte di elementi della sinistra» che si erano infiltrati nella magistratura[43].

Pure Edgardo Sogno difese Sindona. Era un vecchio amico di McCaffery dai tempi della guerra, partigiano badogliano comandante in Piemonte dell'Organizzazione Franchi, medaglia d'oro al valor militare, parlamentare alla Costituente per il Partito liberale, diplomatico, piduista in nome dell'anticomunismo, fondatore dei Comitati di resistenza democratica che si battevano per una repubblica presidenziale, negli anni Settanta imputato (poi assolto) per associazione sovversiva (il cosiddetto «golpe bianco»):

> [...] è impossibile parlare con precisione di ogni dettaglio, o riassumere in poche pagine, i complessi e terrificanti sviluppi che minacciano la completa distruzione della libertà nel mio paese. Tuttavia, se una cosa è chiara, è che l'accusa contro Sindona è politicamente motivata e non deve essere sanzionata[44].

L'uomo non esitò qualche anno dopo a dichiarare:

> Negli anni '70 c'erano persone pronte a sparare contro chi avesse deciso di governare con i comunisti [...] oggi la Dc si guarda bene dal dire queste cose perché ha paura. Noi prendemmo l'impegno di sparare contro coloro che avessero fatto il governo con i comunisti[45].

Confessò anni dopo che la sua dichiarazione rispondeva a un'esplicita richiesta del suo vecchio amico McCaffery: accettò anche perché Sindona aveva aiutato finanziariamente i Comitati, «non potendone [a suo dire] conoscere allora il loro lato oscuro»[46].

Gli aiuti di Sindona ad ambienti eversivi o a essi contigui non si spiegavano solo in base ai legami personali, ma rientravano in una prassi consolidata. Oltre al movimento di Sogno, il banchiere finanziava anche la Rosa dei Venti e pochi anni prima aveva sostenuto con i suoi denari il colpo di stato dei colonnelli greci[47].

Philip Guarino, l'esponente della comunità italoamericana, il massone repubblicano intimo di Gelli che aveva incontrato Andreotti nell'estate del 1976, esprimeva acuta preoccupazione per il rafforzamento comunista in Italia, da cui sarebbero discesi gli ingiusti attacchi a Sindona.

L'intento comune delle dichiarazioni era dunque lampante: far leva sui crescenti timori degli ambienti americani per la situazione politica italiana allo scopo di accreditare il banchiere come un martire dell'anticomunismo. Per corroborare questa tesi, con uno dei suoi guizzi di fantasia malata, Sindona incaricò Luigi Cavallo di organizzare a Milano finte manifestazioni di giovani contro di lui. Cavallo era un giornalista pronto a tutto, un professionista dell'intrigo, ex comunista legato a Sogno nei primi anni Cinquanta e passato in seguito al servizio della Fiat in funzione antisindacale, imputato (e poi assolto) con Sogno per associazione sovversiva.

Il segno prevalente degli *affidavit* era però quello impresso dalla P2. Il Maestro venerabile era infatti l'anello forte della catena con cui si tentava di salvare Sindona, come riferí negli anni Novanta l'avvocato Guzzi deponendo nel 1999 al processo di Palermo contro Andreotti[48]. La Commissione d'inchiesta sulla P2 aveva concluso già parecchi anni prima che

> [...] intorno alla mobilitazione in difesa di Sindona accade qualcosa di piú di una semplice accanita gestione di interessi da proteggere magari con l'omertà e l'uso della forza: si rafforza e si espande il potere del sistema P2 che collega ed unifica tanti personaggi operanti in diverse condizioni[49].

Sindona e Gelli si erano conosciuti all'inizio del 1974, quando Vito Miceli, il generale piduista a capo del Sid (Servizio Informazioni Difesa), presentò il banchiere al Maestro venerabile. Entrarono immediatamente in sintonia: Sindona s'iscrisse alla P2 e Gelli si diede subito da fare per aiutarlo. La sorte li legò poi anche nella disgrazia: sette anni piú tardi, la scoperta delle liste della P2 presso la residenza di Gelli a Castiglion Fibocchi avvenne nell'ambito dell'inchiesta sul finto rapimento di Sindona del 1979.

Sebbene l'estensione delle sue ramificazioni fosse ancora ignota, nel 1976 la P2 era già entrata nel mirino della stampa, soprattutto in relazione a tre fatti: il «golpe bianco» di Sogno, i rapporti che iniziavano a emergere con alcuni settori della criminalità comune – allora in particolare con la cosiddetta «banda dei marsigliesi», responsabile di alcuni clamorosi sequestri di persona – e l'assassinio per mano di un terrorista fascista del giudice Vittorio Occorsio, che stava indagando sui possibili collegamenti fra massoneria ed eversione[50]. La P2 era allora all'apice della sua potenza: una forza in contatto con poteri antistatuali, parallela allo Stato ma al tempo stesso attiva dentro lo Stato. Le liste scoperte a Castiglion Fibocchi comprendevano 962 nomi (probabilmente solo una parte del totale degli iscritti), fra cui

> [...] 195 alti ufficiali [vi erano compresi quasi tutti i vertici dei servizi segreti, N.d.A.], di cui 8 generali dei Carabinieri, 8 ammiragli, 22 generali dell'Esercito, 5 generali della Finanza, 4 generali dell'Aeronautica [...] un centinaio di politici, di cui alcuni ministri in carica. Per quanto riguarda il settore dell'informazione, facevano parte della loggia P2: 8 direttori di quotidiani, 22 giornalisti o pubblicisti, 7 esponenti di rilievo della radiotelevisione, 6 dirigenti di società editoriali, 4 editori e alcuni industriali[51].

L'incontro fra Michele Sindona e Licio Gelli fu importante per entrambi. Li accomunava un *background* simile: gli ambienti della destra statunitense che Gelli aveva conosciuto bene frequentando i militari argentini e uruguaiani nel contesto della lotta feroce da questi scatenata contro la sinistra. Li univa anche la convenienza. Sindona – direttamente e tramite Roberto Calvi – poteva offrire a Gelli la sua *expertise* predisponendo i circuiti finanziari internazionali in cui far confluire capitali di origine lecita e illecita. Il Venerabile allargava la rete di relazioni di cui il banchiere aveva crescente bisogno.

Roberto Calvi, *dominus* – dopo averne percorso tutta la scala gerarchica[52] – del Banco Ambrosiano, era il terzo vertice del triangolo che lo collegava agli altri due. Il suo destino s'intrecciò strettamente con quello del banchiere siciliano: nell'ambizione di costruire una banca d'affari di respiro internazionale, nel riferimento alle stesse cerchie di relazioni, financo nell'esito tragico della loro vita. Si conobbero sul finire degli anni Sessanta tramite il consuocero di Sindona, Giuliano Magnoni, amico di Calvi dai tempi dei loro comuni studi bocconiani. Interessi reciproci univano i due uomini dai caratteri molto diversi, comunicativo ed estroso il siciliano, cupo e introverso il milanese: il capo dell'Ambrosiano mirava a entrare nella rete di conoscenze di un banchiere già affermato, Sindona puntava a disporre di un volume di risorse finanziarie ben superiore al proprio[53]. Secondo il figlio di Calvi, Carlo, il padre era diffidente verso Sindona perché il banchiere siciliano «correva dietro alle persone per farle entrare nei suoi affari e trarne vantaggi»[54].

Sindona presentò Calvi a monsignor Marcinkus[55]: lo Ior strinse negli anni un rapporto strettissimo con l'Ambrosiano che condivideva la stessa radice cattolica, ancor piú che con Sindona, il cui fallimento pur coinvolse penalmente – come per il crack di Calvi – i responsabili della banca vaticana[56]. L'istituto divenne elemento organico dell'attività internazionale del Banco grazie allo status privilegiato che lo sottraeva ai controlli della vigilanza italiana. Agiva da sponda nelle operazioni estere di Calvi come intestatario fiduciario di società che erano in realtà controllate dal Banco. Lo Ior costituiva un soggetto fondamentale delle operazioni cosiddette *back to back*, con cui il gruppo di Calvi finanziava le proprie società estere, cosí come Sindona aveva fatto con il sistema dei depositi fiduciari. La tecnica dei *back to back* consisteva in questo: per effettuare un prestito a una consociata estera che sarebbe stata soggetta ai vincoli normativi imposti dalla Banca d'Italia, s'indirizzava il finanziamento a un terzo istituto residente all'estero e non facente parte del gruppo, il quale a sua volta lo girava alla consociata estera del Banco. Nei bilanci l'operazione figurava come concessione di un prestito a un soggetto terzo estraneo al gruppo[57]. L'obiettivo era duplice: assicurarsi occultamente il controllo del Banco ed eseguire operazioni illecite, in primo luogo per conto della P2. In altri termini lo Ior garantiva una copertura alle attività occulte del gruppo.

Calvi e Sindona divennero soci in molte operazioni. La spregiudicatezza nel violare le norme era del resto la stessa e Calvi divenne per questo un personaggio chiacchierato. Lo aveva notato anche Cesare Merzagora in una lettera del settembre 1972 al governatore Carli:

> [...] prima o poi scoppierà, forse anche in Parlamento un petardo puzzolente, ti aggiungo che fra le cose vaghe e imprecise riportate mi pare vi siano molte verità e che l'idea di un bell'ispettore al Banco non sia affatto da scartare. Valeva la pena di scacciare dall'Italia gli amici Hambros per lasciare andare la Centrale nelle mani estere attuali e nascoste – si fa per dire – dell'attuale proprietario?[58].

Come sopra menzionato, il banchiere milanese entrò nel Consiglio della società finanziaria Centrale, acquistata da Sindona e da Hambros per preparare l'Opa Bastogi. Quando questa fallí, fu Calvi a rilevare le partecipazioni di entrambi nell'ambito di un piano concordato, secondo il quale l'Ambrosiano avrebbe rappresentato gli interessi di Sindona in Italia, ora che quest'ultimo spostava il baricentro delle sue attività negli Stati Uniti. Un'operazione riguardava la società Zitropo. Questa società, creata dal banchiere siciliano, ne acquisí altre controllate da Sindona stesso – fra cui la Pacchetti – e fu poi ceduta a Calvi. Nella versione di Sindona, si costituí fra i due una società di fatto:

> L'accordo tra me e lui fu nel senso che io gli avrei ceduto la Zitropo e quindi il Credito Varesino, la Pacchetti, il diritto di opzione Invest e Banca Cattolica del Veneto, e il mio importante diritto di opzione sulle azioni di controllo della Toro Assicurazioni; lui però avrebbe dovuto prendere il mio posto in Italia, curando soprattutto di evitare che questo gruppo finisse nelle mani dei nazionalizzatori, cioè sotto il controllo pubblico[59].

La versione di Sindona contiene elementi di dubbia credibilità, come la presunta tutela contro inesistenti nazionalizzatori, ma è plausibile che una forma di accordo tra i due fosse stata conclusa. Secondo quanto dichiarato dall'avvocato Guzzi

> Sindona sosteneva che anche operazioni per l'acquisizione di pacchetti del Banco Ambrosiano fossero state fatte di concerto con Calvi. Sotto questo profilo si prospettava una società di fatto fra i due [...] [il cui oggetto era] [...] l'acquisizione e la rivendita di pacchetti azionari[60].

Mentre Sindona sparava le sue ultime cartucce con l'acquisto della Franklin e l'aumento di capitale della Finambro, Calvi toccava lo zenit della sua potenza. Si mise in contatto con Gelli e Umberto Ortolani – un uomo d'affari con solidi legami in Vaticano, a capo di numerose imprese in America Latina e principale sodale del Maestro venerabile nella Loggia – per trovare gli appoggi che lo aiutassero nel consolidamento patrimoniale delle sue società estere, un'operazione che richiedeva diverse autorizzazioni ministeriali. Si iscrisse alla P2 nell'agosto del 1975. A differenza dei suoi confratelli, il presidente dell'Ambrosiano non fu però coinvolto nei tentativi di salvataggio di Sindona. Secondo Guzzi, l'incontro fra Calvi e Andreotti dell'aprile 1977 – avvenuto su sollecitazione di Federici, al fine di esplorare le possibilità di un intervento del Banco Ambrosiano – si rivelò del tutto deludente, forse per una certa diffidenza del presidente del Consiglio nei confronti di Calvi[61]. La Commissione d'inchiesta sulla P2 sottolineò peraltro che il non coinvolgimento del gruppo dell'Ambrosiano fu una scelta precisa di Gelli e di Umberto Ortolani, perché entrambi erano convinti che:

[...] la struttura costituita intorno all'Ambrosiano [fosse] destinata ad altre finalità. In effetti era in pieno sviluppo l'operazione piú importante, sia per valenza politica sia per coinvolgimento di vari gruppi, che la loggia P2 avesse posto in essere: l'acquisizione e la gestione del gruppo Rizzoli[62].

Sindona ritenne che Calvi, nonostante il comune legame con Gelli, lo avesse abbandonato alla sua sorte tradendo gli impegni presi: «A quell'epoca, benché fossimo ancora soci per contratto, Roberto Calvi si era trasformato sotto i miei occhi da Cincinnato a Ponzio Pilato, e quanto alla mia sorte se ne lavava il piú possibile le mani [...] temeva come socio di venire trascinato con me nella rovina»[63]. Lo stesso timore, sempre secondo il banchiere siciliano, lo nutriva Marcinkus.

Al comportamento di Calvi Sindona reagí da par suo, ricorrendo per la seconda volta a Luigi Cavallo. Nel novembre del 1977 il centro di Milano fu tappezzato con manifesti a caratteri cubitali in cui si accusava Calvi di truffa, falso in bilancio, appropriazione indebita, esportazione valutaria e frode fiscale. In calce ai manifesti erano riportati i numeri di conti bancari svizzeri sui quali il presidente dell'Ambrosiano aveva versato i guadagni illeciti relativi all'operazione Zitropo[64]. Se ne indicava anche la somma precisa, che corrispondeva alla metà di quanto percepito (oltre tre milioni di dollari; l'altra metà era andata al banchiere siciliano), grazie al divario tra prezzo effettivo e prezzo dichiarato al momento della compravendita. Le informazioni erano esatte e provenivano naturalmente da Sindona[65]. Nello stesso mese Cavallo scrisse al governatore Baffi una provocatoria lettera-*pamphlet*, ricapitolando le accuse a Calvi ed esortandolo a intervenire, pena un suo ricorso alla magistratura[66].

La manovra estorsiva fu completata dalla pubblicazione di ragguagli sull'operazione Zitropo sul periodico «Agenzia A» diretto da Cavallo e da due lettere da quest'ultimo indirizzate a Calvi. La seconda si apriva con la celebre metafora dei due scorpioni in una bottiglia che finiscono per uccidersi a vicenda. Conteneva minacce tremende:

> Perdurando il Suo caparbio rifiuto a onorare gli impegni da Lei volontariamente assunti, tale azione verrà intensificata sino alla logica conclusione: Magistratura e Guardia di Finanza, carabinieri e sindacati, partiti e polizia saranno progressivamente costretti a intervenire e, a un certo momento, dinanzi all'insurrezione dell'opinione pubblica, degli azionisti, dei dipenden-

ti, della stampa Ella – «Rubamazzo» sempre piú chiacchierato – verrà sacrificato dal Comitato esecutivo dell'Ambrosiano [...] Se ciò non avvenisse in tempi brevi, gruppi extraparlamentari Le renderanno la vita impossibile, la vita privata e quella sociale. Dovrà scegliere: o scappare all'estero o essere rinchiuso a San Vittore. O il suicidio civile o la latitanza, piú o meno dorata. Ma anche la fuga ha i suoi aspetti negativi. E date le Sue numerose radici finanziarie, non sarà difficile scovarLa. Anche in Argentina, come altrove ho amici fidati. E non commetta l'errore di fare affidamento sull'istinto di sopravvivenza o sulla misericordia del primo scorpione[67].

I ricatti sortirono qualche successo: tramite la mediazione di Gelli, che temeva l'esplodere di una guerra in famiglia dagli esiti imprevedibili, Calvi si risolse a versare (estero su estero) mezzo milione di dollari a Sindona nell'ambito di una vendita immobiliare fittizia, pur di far cessare una pressione divenuta ormai insostenibile. Calvi non dimenticò piú «i vili ricatti di Sindona». Lo scrisse anche poco prima di morire[68].

Il capo dell'Ambrosiano era divenuto uno strumento di Gelli e Ortolani per penetrare nelle strutture del potere economico e politico del Paese, in primo luogo tramite l'acquisizione del controllo della Rizzoli, il maggior gruppo editoriale italiano. L'espansione vorticosa del settore estero attuata per sostenere le strategie della P2 scavava però voragini nei conti del gruppo dell'Ambrosiano. Dalla primavera del 1978 la banca milanese era entrata nel mirino della vigilanza della Banca d'Italia, con l'ispezione diretta dall'ispettore capo Giulio Padalino. Come sopra ricordato, il suo rapporto sottolineò l'impenetrabilità delle consociate estere «[...] le cui attività di bilancio sono rimaste del tutto sconosciute non avendo l'azienda fornito alcun riferimento utile al riguardo»[69]. La Banca d'Italia intensificò nel tempo le richieste di dati e spiegazioni al Banco, soprattutto in relazione alle consociate estere, mirando a ridurre l'elevato grado di discrezionalità con cui Calvi dirigeva la banca: uno stile di conduzione, questo, già ampiamente praticato da Sindona. Nell'intento di guadagnare tempo, il capo dell'Ambrosiano rispose con l'ostruzionismo e la reticenza. Nel luglio del 1980 la magistratura avviò un'indagine sulla base del rapporto inviatole dalla Banca d'Italia nel dicembre del 1978. Le sorti di Calvi precipitarono in tempi rapidi. Nel 1981 decine di milioni di dollari destinati a completare l'acquisto della Rizzoli finirono nei conti personali di Gelli, Ortolani e del direttore generale piduista del gruppo editoriale Bruno Tassan Din, senza che il presidente dell'Ambrosiano potesse o volesse opporsi.

Nel marzo di quell'anno con le liste della P2 fu trovata una grande mole di documenti, in cui il gruppo Ambrosiano figurava come *longa manus* finanziaria della loggia. Calvi e Ortolani fuggirono. Due mesi dopo Calvi venne arrestato per reati valutari; condannato a quattro anni e rilasciato in libertà provvisoria, iniziò a scivolare verso il baratro. Si rivolse al papa con una lettera convulsa ma allo stesso tempo sottilmente minacciosa, rivendicando i finanziamenti effettuati a favore di gruppi vicini alla Chiesa nell'Est europeo e in Sudamerica[70]. Allo Ior chiese la restituzione dei denari prestati alle società di cui quest'ultimo risultava titolare su base fiduciaria. In realtà con il dissesto dell'Ambrosiano lo Ior perse le partecipazioni azionarie (tra cui quella nel Banco stesso) e i depositi detenuti nelle società del gruppo, per un importo complessivo prossimo a 200 milioni di dollari. Sebbene lo Ior non dovesse nulla a Calvi, nel tentativo di scongiurare la catastrofe Marcinkus acconsentí a firmare alcune lettere di *patronage* in cui dichiarava che lo Ior era il proprietario delle società estere beneficiarie dei finanziamenti del Banco, purché fossero accompagnate da una lettera di manleva in cui il banchiere milanese avrebbe sollevato lo Ior da tutte le responsabilità legali derivanti dall'ammissione. Calvi dovette altresí impegnarsi a diminuire progressivamente entro un anno l'indebitamento delle suddette società, cosí da recidere ogni legame con lo Ior[71]. Tutti i suoi tentativi di trovare nuovi alleati fallirono. Carlo De Benedetti, già amministratore delegato della Fiat e presidente dell'Olivetti, fu nominato vicepresidente dopo aver acquisito una quota del due per cento, ma si dimise dopo soli due mesi perché Calvi lo escludeva sistematicamente dal governo del gruppo. Il finanziere italo-svizzero Orazio Bagnasco, uomo vicino ad Andreotti, entrò con una quota nel consiglio di amministrazione, ma rimase anche lui ai margini della banca. Carlo Pesenti, il proprietario di stretta osservanza democristiana del gruppo Italcementi, già oggetto di un tentativo di scalata da parte di Sindona alla metà degli anni Sessanta, fu cooptato poco dopo Bagnasco nel consiglio del Banco senza poter ormai mutare il corso degli eventi.

Alla fine di maggio del 1982 la Banca d'Italia ingiunse a Calvi di procedere a un riassetto urgente delle proprie partecipazioni estere, le cui esposizioni erano valutate in 1400 milioni di dollari, e di investire formalmente della questione il consiglio di amministrazione. Anche perché spaventato da una probabile conferma nell'imminente processo d'appello della condanna subita in primo grado per esportazione di valuta, Calvi sparí. La mattina presto del 18 giugno 1982 fu trovato appeso a un traliccio sotto il ponte dei Blackfriars a Londra, con pezzi di mattone per un peso complessivo di cinque chili infilati nelle tasche. Nominati i commissari straordinari, in agosto fu richiesta la liquidazione coatta del Banco[72]. La liquidità e la solvibilità dell'istituto nel periodo immediatamente successivo furono garantite da un *pool* di banche con il supporto del «decreto Sindona».

Negli ultimi mesi, per salvarsi Calvi si era affidato a personaggi obliqui come Francesco Pazienza – assai ben introdotto in Vaticano – e l'altro faccendiere Flavio Carboni, l'organizzatore dell'espatrio clandestino, che al pari del primo, aveva importanti interlocutori dentro le mura leonine. A entrambi il banchiere aveva versato considerevoli somme per ricompensarli della loro assistenza. Come Gelli e Ortolani, i due furono condannati per il fallimento del Banco. Tra le loro innumerevoli conoscenze – Pazienza era stato a lungo al servizio del generale Santovito, il direttore piduista del Sismi (Servizio Informazioni e Sicurezza Militare) – figuravano anche capi di Cosa Nostra come Pippo Calò e uomini della banda della Magliana a lui legati, come Domenico Balducci, Ernesto Diotallevi e Danilo Abbruciati. Quest'ultimo fu ucciso da una guardia giurata dopo aver ferito il vicepresidente del Banco Ambrosiano Roberto Rosone nell'aprile del 1982, un episodio rimasto ancora senza spiegazioni[73].

Calò, Carboni e Diotallevi furono imputati come mandanti dell'omicidio di Calvi: condannati in primo grado, furono assolti in appello, nel 2010 anche con sentenza definitiva, la quale escluse comunque la tesi del suicidio. Rimane la certezza dei collegamenti del banchiere milanese con la mafia e con ambienti a essa immediatamente contigui. Come nel caso di Sindona. È il momento di aprire l'ultimo capitolo della sua vicenda.

[1] Bordoni, *Intervista*. Il fatto risalirebbe all'inizio del 1973, qualche mese prima che i due si sposassero. Sindona reagí in modo sprezzante e volgare all'accusa: «Era stata ballerina all'*Astoria* di Milano. Era una balera, dove era scontato che le ragazze sarebbero andate a letto con i clienti per il prezzo giusto […] la sua sposina vergine». Cfr. Tosches, *Il mistero Sindona*, p. 194.

[2] Audizione dell'ambasciatore Gaja in Senato della Repubblica, *Documentazione allegata alla relazione conclusiva sul caso Sindona*, vol. CXV, p. 448.

[3] AsBi, Direttorio, carte Carli, cart. 56, fasc. 72, pp. 2-3.

[4] Sindona denunciò effettivamente Cuccia (senza successo) per questo episodio.

[5] AsBi, Direttorio, carte Carli, cart. 56, fasc. 72, p. 13.

[6] Sindona, *Intervista*, a cura di E. Catania, in «Tempo Illustrato», 29 agosto 1975.

[7] Id., *Intervista*, a cura di L. Tornabuoni, in «La Stampa», 6 aprile 1975.

[8] La Fasco – la *holding* lussemburghese del gruppo Sindona acquistata negli anni Cinquanta – era nel controllo della Banca Privata, rappresentata dopo il fallimento dal commissario liquidatore.

[9] Cfr. Ambrosoli, *Qualunque cosa succeda*, p. 78.

[10] «La Stampa» (6 aprile 1975); «Europa domani» (aprile 1975); «Il Fiorino» (26 luglio 1975); «l'Espresso» (1° febbraio 1976); «Il Fiorino» (15 febbraio 1976).

[11] «Il Fiorino», 26 luglio 1975.

[12] Tribunale di Palermo, *Sentenza nei confronti di Andreotti*; audizione di Andreotti e di Gaja alla Commissione Sindona.

[13] Tribunale di Palermo, *Sentenza nei confronti di Andreotti*, pp. 678-79.

[14] Audizione di Andreotti in Senato della Repubblica, in *Documentazione allegata alla relazione conclusiva sul caso Sindona*, vol. CXV, p. 295.

[15] Tribunale di Palermo, *Sentenza nei confronti di Andreotti*, p. 674.

[16] De Luca e Panerai, *Il crack*, pp. 149-50. Bordoni sostenne che Sindona stesso avesse organizzato l'attacco speculativo per ingraziarsi Andreotti.

[17] Audizione di Andreotti, p. 299.

[18] Gotor, *Il memoriale della Repubblica*, p. 290.

[19] *Ibid.*, p. 546.

[20] Intervista a Giulio Andreotti a cura di Giovanni Minoli, nella trasmissione televisiva Rai *La storia siamo noi* del 9 settembre 2010.

[21] Colloquio di Giuseppe Guarino con l'autore (aprile 2015).

[22] Tribunale di Palermo, *Sentenza nei confronti di Andreotti*, p. 861.

[23] In Vinci (a cura di), *La P2 nei diari segreti di Tina Anselmi*, sono pubblicati gli elenchi degli iscritti alla P2 rinvenuti presso la residenza di Gelli a Castiglion Fibocchi.

[24] Baffi, *Lettera a Massimo Riva*, in Amari (a cura di), *In difesa dello Stato*.

[25] Gotor, *Il memoriale della Repubblica*, pp. 226-27.

[26] La domanda «A Fra', che te serve?», con cui Gaetano Caltagirone si rivolgeva abitualmente a Franco Evangelisti, è rimasta una cifra della prima Repubblica.

[27] «Orbene non vi è dubbio che Pecorelli aveva rapporti con gli ambienti piú disparati come quello dei servizi segreti, quello della politica, della magistratura, delle forze

armate, dei carabinieri e della polizia»: cfr. Corte di Assise di Perugia, *Sentenza nei confronti di Calò, Andreotti, Vitalone, Carminati, Badalamenti, La Barbera*, p. 54.

[28] Pecorelli e Sommella, *I veleni di «OP»*, p. 15.

[29] La vicenda è stata ricostruita nel procedimento penale a carico di Andreotti per l'omicidio di Pecorelli. Cfr. Corte di Assise di Perugia, *Sentenza*.

[30] Baffi, *Cronaca breve di una vicenda giudiziaria*, in Amari (a cura di), *In difesa dello Stato*.

[31] Gotor, *Il memoriale della Repubblica*, p. 228.

[32] Chiara, *L'amara cena del governatore*, in «Il Sole 24 Ore», 23 ottobre 2005.

[33] Corte di Assise di Perugia, *Sentenza*, p. 54.

[34] *Ibid.*, p. 108.

[35] Cfr. l'intervista ad Alibrandi a cura di F. Menghini, citata in Amari (a cura di), *In difesa dello Stato*, p. 593.

[36] Silj, *Malpaese*, p. 251.

[37] Calabrò, *Le mani della mafia*, pp. 100-1.

[38] Guarino, *La questione Baffi-Sarcinelli*, in Amari (a cura di), *In difesa dello Stato*.

[39] Spaventa, *Fu troppo onesto per piacere ai politici*, in «la Repubblica», 7 aprile 1990. Camilla Ravera è stata una dirigente comunista sin dalla fondazione del partito nel 1921, arrestata e condannata a 15 anni di carcere nel 1930.

[40] De Luca e Panerai, *Il crack*, p. 216.

[41] *Ibid.*, p. 219. Nel 1979 Spagnuolo fu radiato dalla magistratura per questa dichiarazione.

[42] *Ibid.*, p. 226.

[43] *Ibid.*, p. 224.

[44] *Ibid.*, p. 223.

[45] Sogno continuò affermando: «Nei partiti di governo allora c'erano anche dei vigliacchi, dei traditori, pronti a governare con i comunisti [...] nel maggio 1970 furono fondati i Comitati di Resistenza Democratica il cui obiettivo era impedire con ogni mezzo che il Pci andasse al potere, anche attraverso libere elezioni [...] non si poteva sottoporre ad alcuna regola, un duello all'ultimo sangue in cui non potevamo accettare regole e limiti di legalità e legittimità, sapendo che avremmo potuto contare sull'appoggio degli Stati Uniti e degli altri Paesi Nato». Cfr. la testimonianza al processo per la strage sul treno *Italicus*, consultabile all'Url 4agosto1974.wordpress.com/2013/11/24edgardo-sogno-sue-dichiarazioni-e-valutazione-pm-italicus-bis/

[46] Sogno e Cazzullo, *Testamento di un anticomunista*, p. 172.

[47] Dondi, *L'eco del boato*, pp. 54, 237 e 336; Ambrosoli, *Qualunque cosa succeda*, pp. 249-50.

[48] «In proposito, il teste ha riferito di avere incontrato il Gelli non meno di dieci volte e di avere avuto con lui numerose conversazioni telefoniche. Ha precisato che i suoi incontri con il Gelli iniziarono nel 1977 ed ebbero a oggetto anche i progetti di sistemazione della Banca Privata Italiana. Ha aggiunto di avere appreso dal Sindona che quest'ultimo a New York aveva avuto ripetutamente contatti diretti con il Gelli e lo aveva incontrato più volte». Cfr. Tribunale di Palermo, *Sentenza nei confronti di Andreotti*, p. 697.

[49] Camera dei Deputati - Senato della Repubblica, *Commissione d'inchiesta sulla loggia P2*, p. 117.

[50] Teodori, *P2*, pp. 28-29. Per riferimenti dettagliati si veda Camera dei Deputati - Senato della Repubblica, *Commissione d'inchiesta sulla loggia P2*, p. 21.

[51] Anselmi, *Una testimonianza*, in Amari e Vinci (a cura di), *Loggia P2*, pp. 105-6.

[52] Calvi divenne direttore generale nel 1971, consigliere delegato nel 1972 e presidente nel 1975.

[53] Bellavite Pellegrini, *Storia del Banco Ambrosiano*, p. 181.

[54] Pinotti, *Poteri forti*, p. 45.

[55] *Ibid.*, p. 262, che riferisce un'affermazione di Calvi medesimo.

[56] Tra l'ottobre del 1980 e il febbraio del 1981, Massimo Spada e don Luigi Mennini vennero arrestati per concorso in bancarotta fraudolenta aggravata. Condannati in primo grado, furono prosciolti in Cassazione per vizio procedurale. Cfr. Turco *et al.*, *Paradiso Ior*, p. 121.

[57] Una differenza tra i due sistemi era che Sindona dava molta importanza alla necessità di ottenere impegni formali, mentre Calvi basava tutto sul rapporto fiduciario, cosicché il Banco Ambrosiano si assumeva interamente il rischio.

[58] AsBi, Carte Baffi, Governatore Onorario, cart. 30, fasc. 8, p. 15. In una successiva lettera a Baffi del marzo 1978, Merzagora ricorda che «a tale lettera Carli non aveva voluto rispondere ma è venuto a trovarmi e a voce, in una lunga conversazione, aveva cercato di convincermi (senza riuscirvi) del perché non poteva intervenire»: *ibid.*, p. 16.

[59] Dalla requisitoria del pubblico ministero dell'istruttoria per la bancarotta del Banco Ambrosiano, citata in Calabrò, *Le mani della mafia*, p. 89. Calvi negò sempre l'esistenza di questo accordo: cfr. la sua audizione in Senato della Repubblica, *Documentazione allegata alla relazione conclusiva sul caso Sindona*, vol. CXV, pp. 570-617.

[60] Cfr. l'audizione di Guzzi in Calabrò, *Le mani della mafia*, p. 58.

[61] *Ibid.*, p. 20; Tribunale di Palermo, *Sentenza nei confronti di Andreotti*, p. 730.

[62] Camera dei Deputati-Senato della Repubblica, *Commissione d'inchiesta sulla loggia P2*, p. 120. Nel testo si allude alla penetrazione della P2 nella Rizzoli, che condusse al controllo del «Corriere della Sera».

[63] Tosches, *Il mistero Sindona*, p. 217.

[64] Sui dettagli dell'operazione si veda Tribunale di Milano, *Sentenza ordinanza dei giudici Turone e Colombo*, in *Sindona*, pp. 160-65.

[65] Cavallo confermò in sede processuale questa circostanza. Egli fu condannato unitamente a Sindona per estorsione, nell'ambito del processo in cui a quest'ultimo fu comminato l'ergastolo come mandante dell'omicidio di Ambrosoli.

[66] Cavallo, *Banca d'Italia*, pp. XXIII-XXXVIII.

[67] Tribunale di Milano, *Sentenza ordinanza dei giudici Turone e Colombo*, in *Sindona*, p. 168.

[68] Pinotti, *Poteri forti*, p. 261.

[69] Citato in Bellavite Pellegrini, *Storia del Banco Ambrosiano*, p. 295.

[70] Pubblicata in Pinotti, *Poteri forti*, pp. 290-92.

[71] Lo Ior rifiutò di pagare i debiti delle società estere patrocinate. Nel 1984 l'istituto negoziò quale contributo volontario un versamento di 250 milioni di dollari a favore della liquidazione dell'Ambrosiano. Nel 1987 la Cassazione annullò «per obbligo di non ingerenza dello Stato italiano» i mandati di cattura emessi contro Paul Marcinkus, don Luigi Mennini e il ragioniere capo dello Ior Pellegrino de Strobel.

[72] I commissari accertarono nell'occasione perdite per circa 900 miliardi di lire dovute ai crediti inesigibili verso le consociate estere.

[73] Il movente dell'attentato è rimasto oscuro. Ne furono imputati Diotallevi e Carboni: condannati in primo grado, furono assolti in appello.

Capitolo sesto

Prigioniero di se stesso e della mafia

L'origine dei rapporti di Sindona con la mafia è incerta. Si è scritto, senza evidenze, che il banchiere fosse entrato in contatto con potenti boss mafiosi già quando faceva il borsaro nero e che negli anni Cinquanta fosse ormai un uomo d'onore di rango, tanto da partecipare nel 1957 al celebre vertice mafioso all'hotel *Due Palme* di Palermo[1]. Non mancano però gli indizi di una precoce familiarità con Cosa Nostra. Nel novembre del 1967 l'International Criminal Police Organization di Washington scrisse alla questura di Milano per ottenere informazioni su Dan Porco e Michele Sindona, sospettati di «traffico di sedativi, stimolanti e allucinogeni fra l'Italia e gli Stati Uniti e fra altre regioni d'Europa»[2]. Il questore negò l'esistenza di elementi atti a suffragare questa ipotesi. Il giudice Ferdinando Imposimato ha riferito di non meglio precisate informazioni di fonte Fbi (Federal Bureau of Investigation), secondo le quali Sindona sarebbe stato spesso ospite del boss corleonese latitante Luciano Leggio, quando costui era nascosto in un'abitazione di via Ripamonti a Milano[3]. Nel 1972 Jack Begon, un giornalista statunitense residente a Roma, realizzò un'inchiesta per l'emittente americana Abc in cui tratteggiava, senza possibilità di equivoci, la figura di un noto finanziere che riciclava i denari provenienti dal traffico di droga. Begon, che collaborava con i servizi segreti americani, sostenne di essere stato per questo motivo sequestrato a scopo intimidatorio; imputato dalla magistratura romana di simulazione di reato, fu poi assolto per insufficienza di prove[4].

I rapporti di Sindona con la mafia uscirono allo scoperto anni dopo in connessione con tre eventi: le minacce a Enrico Cuccia, l'assassinio di Ambrosoli, il finto rapimento. I procedimenti giudiziari relativi all'omicidio del commissario liquidatore della Bpi e all'imputazione per associazione mafiosa di Giulio Andreotti hanno arricchito grandemente le informazioni al riguardo, prima limitate ai lavori della Commissione Sindona e a poco altro.

Il ricorso a metodi apertamente intimidatori iniziò nel 1977. I progetti di salvataggio languivano; le difficoltà sul fronte giudiziario si accentuavano, con la conferma da parte della Corte d'appello di Milano della dichiarazione di stato d'insolvenza per la Bpi e con la bocciatura da parte della Cassazione del ricorso di Sindona contro l'ordinanza del giudice istruttore che aveva rigettato la sua istanza di sospensione del processo penale.

La prima vittima fu Enrico Cuccia, il cui intervento veniva ritenuto indispensabile per favorire l'accoglimento delle proposte di salvataggio. Complessivamente le pressioni, variamente esercitate, durarono a lungo, dalla primavera del 1977 al marzo del 1980. In un primo tempo, le intimidazioni furono affidate a Luigi Cavallo, coadiuvato da Walter Navarra – altro ambiguo giornalista ex partigiano, come lui disponibile a molti servizi, se ben remunerati – e dall'avvocato Italo Castaldi. Questi riferí al patron di Mediobanca che Cavallo stava progettando su incarico di Sindona il rapimento di sua figlia, inducendo cosí Cuccia a incontrare Magnoni a Londra nel luglio 1977. Fu il primo di una lunga serie d'incontri con la cerchia del bancarottiere: con Fortunato Federici e dopo la morte di costui, con l'avvocato Guzzi, con il quale Cuccia ebbe ben diciotto colloqui dal marzo del 1978 all'ottobre dello stesso anno. Il fine era sempre lo stesso, ovvero persuadere con le buone o con le cattive l'amministratore delegato di Mediobanca a farsi promotore di un intervento che inducesse la Banca d'Italia ad appoggiare l'ultimo piano di salvataggio, obiettivo a cui miravano anche le iniziative coeve di Evangelisti e Stammati sopra menzionate. Quando apparve chiaro che sia per l'atteggiamento ostruzionistico di Cuccia – che non volendo opporsi frontalmente per timore di rappresaglie, puntava a prendere tempo – sia per l'indisponibilità della Banca d'Italia non si registravano progressi, il banchiere siciliano decise di affidare a mani piú adatte le pressioni intimidatorie nei confronti di Cuccia (anche se Navarra non uscirà del tutto di scena).

Nell'autunno del 1978 l'amministratore delegato di Mediobanca ricevette quattro telefonate minatorie in un inglese connotato da un forte accento siciliano. Il 17 novembre, il portone del palazzo in cui abitava venne dato alle fiamme. Poco dopo Guzzi annunciò a Cuccia che Sindona sarebbe stato pronto a cooperare con lui per contrastare le intenzioni criminali di certi «ambienti italo-americani». Era il messaggio evidente che la mafia era entrata in campo, e cosí infatti Cuccia lo intese. Per parare le minacce contro la sua famiglia, acconsentí di incontrare Sindona a New York. L'incontro si svolse il 10 e 11 aprile 1979. Fu un colloquio drammatico, soprattutto il secondo giorno quando, su richiesta di Sindona, i due si parlarono a quattr'occhi. Con il consueto stile obliquamente minaccioso, il banchiere asserí di avere per il momento impedito ai propri figli, inferociti contro il capo di Mediobanca, di farsi giustizia da soli; lo avvertí poi che la mafia era sulle tracce dei suoi figli per ucciderli; gli disse infine che si sarebbe assunto la responsabilità morale di far scomparire Ambrosoli[5]. La persecuzione proseguí ancora a lungo, tanto da indurre Cuccia a incontrarsi in due occasioni anche con la figlia di Sindona, Maria Elisa, che si fece latrice delle minacce paterne, l'ultima volta nel marzo del 1980[6]. Ma ormai Sindona era stato incarcerato. Nel giugno successivo Cuccia cambiò casa. La stessa estate un mafioso venuto da New York lo cercò a lungo, invano.

Gli uomini arruolati da Sindona a New York erano mafiosi siculo-americani, molti dei quali poi implicati nel finto rapimento. William Aricò era uno di costoro: a partire dall'autunno del 1978 volò diverse volte a Milano per imbastire le intimidazioni contro Cuccia e Ambrosoli. Un altro era Giacomo Vitale, il mafioso massone palermitano che minacciava per telefono il commissario. Ambrosoli passò gli ultimi sei mesi della sua vita – rievocati in modo toccante dal figlio Umberto, che aveva allora nove anni[7] – nel mirino della mafia. Nelle due settimane a cavallo di Capodanno ricevette una decina di telefonate intimidatorie. Inizialmente il «picciotto» – cosí lo chiamava Ambrosoli – si limitò ai messaggi indiretti, tipici dello stile del suo committente. Sindona lo faceva avvertire che «tutti puntano il dito su di lei, come se è lei che non volesse collaborare» e fra questi «tutti» vi sarebbero stati Andreotti e la stessa Banca d'Italia; come a dire: sei rimasto solo[8]. Come con Cuccia, Sindona ricorse a Guzzi e Magnoni per sondare gli effetti delle minacce[9]. Constatata con il passare dei giorni la perdurante impermeabilità di Ambrosoli alle pressioni, il picciotto stracciò il velo della sia pur pallida finzione sin lí recitata: «Non la salvo piú, perché lei è degno solo di morire ammazzato come un cornuto! Lei è un cornuto e un bastardo!»

I segni dell'incombente presenza mafiosa però non svanirono. Da Magnoni, incontrato a Lugano per mantenere aperto un canale di comunicazione, Ambrosoli apprese che Sindona era entrato in possesso della seconda relazione sullo stato della liquidazione, pur trasmessa al giudice istruttore con speciali cautele per garantirne la riservatezza. In giugno, nel seminterrato della Privata fu ritrovata una pistola prelevata dalla cassaforte e fatta a pezzi. Il principale collaboratore di Ambrosoli, il maresciallo della Guardia di Finanza Silvio Novembre, ricordò poi:

> [...] il significato simbolico di quella messa in scena davanti all'archivio, nel seminterrato, parve subito chiaro: volevano farci sapere che non potevamo assolutamente sentirci sicuri neppure dentro la banca e che era stata presa la decisione di farci a pezzi. Tutti o solo alcuni di noi. Come quella pistola. Lo capimmo bene e subito[10].

La procura aprí un'inchiesta. I suoi collaboratori, Silvio Novembre per primo, cercavano di proteggerlo come potevano, al di là di ogni dovere professionale. Ma ondate di ansia periodicamente investivano Ambrosoli. Reagí accentuando il proprio impegno. Il magistrato inquirente americano decise di acquisire per rogatoria a Milano la testimonianza di Ambrosoli in merito ai rapporti fra il gruppo Sindona e la Franklin National Bank. Ambrosoli si preparò con cura quasi maniacale per un appuntamento che si prospettava tutt'altro che facile perché condotto, a differenza che nella procedura italiana, con l'esame incrociato del testimone da parte dell'accusa e della difesa. La testimonianza iniziò il 9 luglio e terminò, a meno di alcuni adempimenti formali rinviati all'indomani, a mezzogiorno del 10. Quella stessa sera, a mezzanotte, Ambrosoli, di ritorno da una cena con amici, fu ucciso sotto casa da William Aricò con quattro colpi di revolver esplosi da pochi metri[11].

Ma in quei mesi del 1979 Sindona non si limitava a organizzare l'assassinio di Ambrosoli. Tra gennaio e marzo scrisse ben otto lettere ad Andreotti, invitandolo a intervenire in suo favore sulle autorità americane per scongiurare asserite ricadute politiche negative in caso di una sua incriminazione[12]. L'ultima sua trovata fu sconcertante. Escogitò un finto rapimento a opera di un fantomatico «Gruppo proletario di eversione per una giustizia migliore», il cui impatto emotivo sarebbe stato amplificato, lui riteneva, dalla tragedia di Aldo Moro dell'anno prima. Sindona sparí da New York il 2 agosto 1979. Camuffato, s'imbarcò con un passaporto falso all'aeroporto Kennedy per Vienna, accompagnato da un mafioso italoamericano. Via Atene e Brindisi, raggiunse Palermo il 16 agosto. Ci pensava da mesi. Ne aveva discusso soprattutto con Joseph Miceli Crimi, che aveva conosciuto dopo il suo trasferimento a New York.

Crimi era un chirurgo, massone, già dirigente del servizio sanitario della questura di Palermo (guidata all'epoca dal suocero) fino alla metà degli anni Sessanta. Emigrato a New York e acquisita la cittadinanza americana, esercitava la professione un po' in Italia e un po' negli Stati Uniti. Era persona nota nella comunità italoamericana di New York, in ottime relazioni con noti boss mafiosi, tra cui John Gambino. Crimi si occupò in prima persona del finto sequestro, sistemando Sindona in un appartamento di una sua amica – Francesca Paola Longo, anche lei gravitante negli ambienti della libera muratoria – situato in una zona centrale di Palermo e coinvolgendo il confratello Giacomo Vitale per l'assistenza quotidiana al banchiere.

Giacomo Vitale era, come si è detto, il telefonista che aveva minacciato Ambrosoli. Suo cognato era uno dei capi di Cosa Nostra, Stefano Bontate, massone anche lui e strettamente legato al boss Salvatore Inzerillo, cugino dei Gambino e parente dei fratelli Rosario e Vincenzo Spatola, due noti costruttori mafiosi palermitani. Bontate era uno dei principali interlocutori mafiosi di Salvo Lima, il luogotenente di Andreotti in Sicilia. Nel 1980 fu lui a incontrare un turbato

Andreotti, che gli chiedeva conto dell'omicidio del presidente democristiano della Regione siciliana Piersanti Mattarella, avvenuto nel gennaio di quell'anno[13].

Sindona gestí in prima persona le comunicazioni con l'esterno. Inviò a nome dei suoi inesistenti rapitori messaggi e lettere ai suoi avvocati (Guzzi e Gambino), in cui intimava di consegnare i documenti che comprovavano le malefatte da lui compiute.

Il 12 settembre Guzzi ricevette le seguenti richieste:

1. Lista dei 500. Fornire nomi: ne bastano dieci purché si tratti di personaggi in vista della finanza o della politica.
2. Nomi delle Società estere (costituite dalla Bpi o dallo studio Sindona) di proprietà o di cui potevano disporre persone connesse con la Democrazia Cristiana, e relativi movimenti di fondi.
3. Lo stesso per il Psi e per il Psdi.
4. Pagamenti effettuati, con prelievo di somme dalle banche di Sindona italiane ed estere, a partiti politici o a personalità politiche.
5. Operazioni regolari o irregolari in titoli o merci effettuate da Michele Sindona o dai dirigenti delle banche per conto di partiti politici o di personalità politiche.
6. Operazioni irregolari in titoli o merci effettuate per conto di clienti importanti.
7. Bilanci falsi depositati in banca per ottenere credito da società importanti, con lo scopo di danneggiare i piccoli azionisti.
8. Operazioni effettuate dallo studio Sindona o dalle sue banche per conto di società importanti, con lo scopo di danneggiare i piccoli azionisti.
9. Operazioni irregolari effettuate con l'aiuto di Sindona, di due banche e loro funzionari per conto del Vaticano, della Snia-Viscosa, della Montedison, di società di Agnelli, di Ursini, di Rovelli, di Bonomi, di Monti, o di altri importanti.
    Anche per i punti dal terzo al nono bastano una decina di casi importanti. Desideriamo elementi di riferimento precisi (anche se sommari) [...]
10. Se è vero che Michele Sindona ha richiesto ai Magistrati italiani e americani, da molto tempo e quando, gli esperti per verificare i conti delle sue banche italiane ed estere (compresa Amincor Bank) e se, quando e con quale documento, ha esonerato le banche estere dal vincolo bancario.
    [...] Se l'avvocato Guzzi deve comunicare alle Autorità il contenuto della presente, può farlo [...][14].

Espressa come sempre in forma contorta e allusiva, la lettera era volta a destare nei suoi sodali di un tempo il timore che potesse rivelare verità compromettenti, perché costretto, se ritenevano fondata l'ipotesi del rapimento, o di propria volontà, in caso opposto. Ciò li avrebbe convinti sia ad aiutarlo finanziariamente sia a intervenire con maggiore impegno per assicurare un esito favorevole al piano di salvataggio. Il ricatto era dunque evidente.

La messinscena del finto sequestro serviva anche a Sindona per continuare ad accreditarsi come un perseguitato politico anticomunista, una condizione che a suo modo di vedere lo avrebbe favorito nel processo negli Stati Uniti, programmato per il mese di settembre.

Del grande ricatto facevano parte pure le lugubri minacce con cui Sindona continuava a perseguitare Enrico Cuccia:

> Per colpa sua il nostro amico di New York è stato rovinato ed è ora in pericolo di vita. Se lo uccidono distruggeremo prima la sua famiglia e poi lei [...] faccia subito l'accordo col Banco di Roma e con la Banca d'Italia [...] Lei ha capito che non scherziamo: non sia un parricida; ci faremo vivi prestissimo e non piú con telefonate [...] Vi inseguiremo dovunque andiate per cento anni[15].

Le intimidazioni mafiose si intensificarono. Questa volta non fu preso di mira soltanto il portone del palazzo di Cuccia: il 5 ottobre 1979 John Gambino e suo cugino Francesco Fazzino arrivarono sino alla porta dell'appartamento del banchiere milanese e vi appiccarono il fuoco.

Con i suoi amici mafiosi e massoni Sindona sbandierava un obiettivo grandioso, per giustificare la sua presenza a Palermo: la separazione della Sicilia dall'Italia come primo passo di un'iniziativa in chiave anticomunista appoggiata dagli Stati Uniti. Apparentemente del tutto slegato dal grande ricatto, il progetto aveva però una sua funzione nel contesto siciliano dell'epoca.

Innanzitutto, riecheggiava narrazioni mai del tutto sopite risalenti all'immediato secondo dopoguerra, quando la rinascita della mafia, prima che questa ricercasse una convivenza reciprocamente conveniente con l'*establishment* politico democristiano, si era intrecciata per un breve periodo con il movimento separatista[16].

In secondo luogo, enfatizzando la valenza anticomunista del progetto, Sindona riprendeva un tema verso cui la mafia era storicamente tutt'altro che insensibile, come avevano confermato solo pochi anni prima i dubbi dei boss se accogliere o meno l'offerta di Junio Valerio Borghese a partecipare attivamente al tentato golpe del dicembre del 1970, rientrato all'ultimo momento per cause ancora oggi non chiarite[17].

Infine, il disegno di Sindona poteva avere qualche assonanza con i piani di «rinascita democratica» a cui la massoneria – e segnatamente Licio Gelli – stava lavorando nella seconda metà degli anni Settanta. L'obiettivo della destabilizzazione in collegamento con gli ambienti eversivi è stato del resto preso in considerazione dai giudici del processo per l'omicidio di Ambrosoli, dalla Commissione Sindona e da diversi studiosi.

Sindona sapeva toccare con maestria queste corde. «Era spesso ieratico, era una persona che parlava con aria ispirata. Per cui io lo prendevo per quello che lui mi diceva», spiegò il collaboratore di giustizia massone Angelo Siino, che affiancò Giacomo Vitale nell'assistenza al banchiere[18]. E infatti, a riprova della capacità persuasiva di Sindona, alla fine di agosto Vitale e Siino si recarono fino a Gioia Tauro per valutare con i proprietari di un'emittente locale la possibilità di inserire nel loro ripetitore un dispositivo in grado di interrompere i contatti radio tra l'Italia e la Sicilia[19]. Pochi giorni dopo i due, insieme con Michele Barresi, l'influente capo della loggia massonica Camea (Centro Attività Massoniche Esoteriche Accettate), aderente alla massoneria di piazza del Gesú, avvicinarono Peppino Costa, «un personaggio di grande carisma messinese» che era a capo di una loggia locale: costui assicurò che «tutti i capitani dei traghetti, che erano massoni, e tutti i direttori di macchina dei traghetti [...] si erano messi a disposizione per eventualmente bloccare lo stretto di Messina». Sindona era riuscito a tal punto a intrigare la massoneria siciliana con il suo fantasioso progetto – prospettava fra l'altro l'intervento di una portaerei americana e di un contingente di massoni armati al comando di Edgardo Sogno – che di lí a poco si tenne una riunione massonica per discutere una volta per tutte il piano del banchiere. A conferma del rilievo che aveva assunto la questione, arrivò anche Licio Gelli, che definí però il progetto senza mezzi termini «una pazzia»[20]. Il capo della P2 era già stato messo al corrente della situazione da Miceli Crimi che, su incarico di Sindona, gli aveva fatto visita ad Arezzo per pregarlo di farsi carico delle necessità finanziarie del banchiere, probabilmente con l'idea di coinvolgere a questo fine Roberto Calvi[21].

Anche agli occhi dei mafiosi la credibilità del piano di Sindona andava ora sfumando rapidamente: «Sí, colpo di stato... sa chi vinni a fare chistu... [Sí, colpo di stato... sai che è venuto a fare questo...]»[22]. Ai primi di settembre, con l'arrivo di John Gambino a Palermo e il trasferimento del banchiere in una villa messa a disposizione da Rosario Spatola a Torretta nell'entroterra palermitano, i mafiosi assunsero un ruolo via via crescente nella vicenda[23]. Questa relativa fluidità nella gestione del finto sequestro non deve sorprendere perché, come riferito dal pentito Antonino Calderone e come emerso nel maxiprocesso contro Cosa Nostra istruito da Giovanni Falcone nella seconda metà degli anni Ottanta, nel 1979 i legami fra mafia e massoneria non erano sistematici ma occasionali, basati su convergenze contingenti e relazioni personali[24]. Cosa Nostra aveva respinto la proposta di instaurare un rapporto organico, anche a livello organizzativo, con la libera muratoria, proposta avanzata a suo tempo secondo lo stesso Calderone e il collaboratore di giustizia Marino Mannoia da Stefano Bontate, nonché rinnovata in termini piú generici da Sindona[25].

I piani di Sindona non avevano fin lí sortito effetto alcuno. Per uscire dallo stallo, il banchiere ricorse ancora una volta a metodi spettacolari. Alla fine di settembre si fece sparare da Miceli Crimi in una coscia. Il ferimento fu minacciosamente comunicato ai legali di Sindona con l'intenzione di rendere piú verosimile la tesi del sequestro, in vista di un incontro segreto a Vienna proposto dai «rapitori» agli avvocati Guzzi e Gambino, a cui avrebbero dovuto partecipare Sindona stesso, John Gambino, Francesco Fazzino e Joseph Miceli Crimi. L'incontro, una volta reso noto *ex post*, avrebbe dovuto rilanciare pubblicamente il dramma del prigioniero, conferendo nuova forza al disegno ricattatorio.

L'inefficienza della posta italiana non consentí che la lettera con le indicazioni operative per l'appuntamento giungesse nei tempi previsti a Guzzi, come i «rapitori» appresero verificando la mancata ricezione della lettera. Si risolsero a recapitare la missiva a mano, direttamente presso lo studio dell'avvocato. La polizia, che aveva messo sotto controllo il telefono del legale, arrestò il corriere al momento della consegna. Era Vincenzo Spatola.

Prospettando il coinvolgimento della mafia nella vicenda, l'arresto scompaginò i piani di Sindona. Secondo il giudice Ferdinando Imposimato, che fino alla primavera del 1980 sostenne con Domenico Sica il peso principale delle indagini sul finto sequestro[26], Crimi gli raccontò con una smorfia di disprezzo:

> Ero con don Michele quando abbiamo saputo che Vincenzo Spatola si era fatto prendere dalla polizia. Saputa la notizia, divenne pallido come un morto e ci ha domandato con voce tremante: «Che ne sarà di me?» John Gambino gli rispose: «Tu torni a New York e dichiari che i tuoi rapitori ti hanno liberato». Le guance rigate di lacrime, don Michele allora replicò: «Ma finirò in prigione!» Allora, disgustato da quel mollusco che c'era già costato un mucchio di denari, s'è voltato dall'altra parte. Prima di andarsene, gli fece: «Non sei piú nessuno. Le tue famose relazioni non hanno alzato un dito per aiutarti. Michele sei finito. Fortunatamente, abbiamo chi è capace di rimediare ai tuoi imperdonabili errori»[27].

Sindona fu fatto rientrare precipitosamente a New York, dove riapparve emaciato e spaurito in una cabina telefonica di Manhattan. Due giorni prima era stata diffusa una sua foto in cui appariva ferito a una gamba. Sentito dall'Fbi e rimesso in libertà provvisoria in attesa del processo, per diversi mesi ancora si attenne alla versione del sequestro, ma le indagini condotte dalla polizia a Palermo e quelle svolte in parallelo dall'Fbi accumularono nel giro di poco tempo indizi inequivocabili sul coinvolgimento nella vicenda di esponenti della mafia e della massoneria, tra cui Gambino, Vitale, Miceli Crimi, Longo.

La natura esatta dell'interesse della mafia siciliana per il finto sequestro di Sindona venne però alla luce nel processo a carico di Giulio Andreotti per associazione a delinquere, quindici anni dopo. In quella sede diversi collaboratori di giustizia spiegarono i motivi che avevano spinto una parte del vertice di Cosa Nostra a farsi carico direttamente del progetto del banchiere. Marino Mannoia – raffinatore di morfina base per conto di Bontate[28] –, Francesco Di Carlo, Gaspare Mutolo, entrambi legati al boss Rosario Riccobono, dichiararono che nelle settimane in cui Sindona era nascosto a Palermo Stefano Bontate e Salvatore Inzerillo erano in contatto continuo con lui, perché volevano recuperare i denari del traffico di eroina che avevano affidato a Sindona per investirli e che erano andati apparentemente persi con il fallimento del banchiere[29]. Ulteriori indicazioni in questo senso sono state fornite in altra circostanza dai pentiti Gioacchino Pennino e Antonino Giuffrè[30].

Gli incontri fra Bontate, Inzerillo e il banchiere siciliano sono stati confermati da Tommaso Buscetta[31] e da Angelo Siino. In particolare quest'ultimo ha riferito anche dei colloqui di Sindona con Nino Salvo, imprenditore di primaria importanza in Sicilia, notoriamente legato a Salvo Lima e affiliato a Cosa Nostra, e con l'avvocato Vito Guarrasi, un personaggio misterioso quanto influente a Palermo, che smentí però la circostanza in sede processuale[32].

Anche persone appartenenti allo stretto *entourage* di Sindona formularono *ex post* ipotesi dello stesso tenore. L'avvocato Guzzi dichiarò nel corso del processo che i clienti della Amincor Bank (banca nel controllo dei sodali di Sindona) «erano certamente delle persone della malavita […] e può essere che il riciclaggio sia avvenuto anche tramite la Amincor Bank […] e Sindona voleva tenere lontana dalle nostre considerazioni questa realtà»[33]. Il legale esprimeva nella stessa sede una valutazione di ordine generale sui rapporti fra Sindona e la mafia nel 1979:

> Secondo noi difensori, Sindona aveva quasi posto un termine, e il termine era la fine dell'anno 1978 per arrivare a comporre la sua posizione nell'ambito della Banca Privata vedi sistemazione della Banca Privata e quindi possibili vantaggi da questa sistemazione. Essendo venuto meno e comunque essendoci stato un rallentamento, come disse Andreotti a Della Grattan, all'inizio del mese di dicembre, essendo naufragato l'incontro fra me e il dottor Sarcinelli che doveva essere prodromico a una eventuale considerazione da parte della Banca d'Italia del progetto di sistemazione, io ritengo che Sindona abbia dovuto in qualche modo rispondere non alla comunità italo-americana ma a Cosa Nostra. Cioè io ritengo che col venir meno di questi presupposti Sindona sia diventato uno strumento della comunità.

Entrata in campo con le intimidazioni a Cuccia e l'assassinio di Ambrosoli, la mafia rimase al fianco di Sindona anche nell'avventura del finto sequestro: nonostante i colpi subiti, il bancarottiere non aveva perso tutto il suo carisma, manteneva relazioni politiche importanti, era ritenuto ancora in grado di rovesciare la partita con un colpo di scena.

L'anno in cui Sindona era nascosto a Palermo coincise con l'inizio della stagione piú efferata dell'attività criminale mafiosa. Nel marzo del 1979 fu ucciso Michele Reina, segretario provinciale della Democrazia cristiana di Palermo; in luglio Boris Giuliano, dirigente della squadra mobile che indagava sul traffico di eroina tra la Sicilia e gli Stati Uniti; in settembre Cesare Terranova, il magistrato che dopo una lunga parentesi parlamentare avrebbe probabilmente assunto le funzioni di consigliere istruttore del tribunale di Palermo. Per Giovanni Falcone «proprio quell'anno segnò l'inizio di un'impressionante *escalation* di violenza che sarebbe poi sfociata in una sanguinosa guerra di mafia e in tanti omicidi eccellenti, primo fra tutti, per la sua potenzialità destabilizzante, quello del prefetto Dalla Chiesa»[34].

Sindona era uomo vicino alla fazione di Cosa Nostra guidata da Bontate e Inzerillo nonché collegata con Gambino e con i fratelli Spatola: la cosiddetta «terza mafia» narcotrafficante siculo-americana operante fra New York e Palermo, che aveva il banchiere come riferimento nelle operazioni finanziarie[35], mentre i corleonesi si servivano delle relazioni di Gelli[36]. Il boss corleonese Totò Riina rimase alla finestra durante il finto sequestro, ritenendo opportuno non immischiarsi in questioni che secondo lui esulavano dagli interessi dell'organizzazione. Una simile diversità di atteggiamento si era del resto manifestata anche in occasione del sequestro di Aldo Moro, quando Riina non accolse la richiesta di Bontate di interessarsi della vicenda[37]. La fazione avversa ai corleonesi súbí un colpo con il fallimento del progetto del banchiere: non solo perché divenne oggetto di rinnovate attenzioni da parte degli inquirenti ma anche perché, lo confessò Bontate stesso a Siino, la venuta di Sindona in Sicilia gli aveva creato una serie di guai con gli altri esponenti mafiosi[38].

[1] Nuzzi, *Vaticano S.p.A.*, p. 28; Lombard, *Soldi truccati*, p. 40; Imposimato, *Un juge en Italie*; Marino, *I padrini*; Arlacchi, *Il processo*; Simoni e Turone, *Il caffè di Sindona*. Alla riunione di Palermo parteciparono i principali esponenti della mafia siculo-americana, per concordare le strategie future. Cfr. anche Lupo, *Storia della mafia*, pp. 266-67.

[2] Simoni e Turone, *Il caffè di Sindona*, p. 37; Lombard, *Soldi truccati*, p. 16.

[3] Imposimato, *Un juge en Italie*, p. 201. Leggio fu arrestato in quella casa nel 1974. Il dossier dell'Fbi cui l'autore fa riferimento potrebbe essere quello che gli mise a disposizione l'agente Michael Jeweler, il quale collaborò con Imposimato in occasione del finto sequestro. Cfr. anche Id., *L'Italia segreta dei sequestri*, in cui peraltro non si citano i contatti di Sindona con Leggio.

[4] Montanaro e Ruotolo (a cura di), *La vera storia d'Italia*, pp. 448-49; Bellacci e Zullino, *Il mistero di Jack Begon*, in «Epoca», XXIV (5 agosto 1973).

[5] Si veda la memoria di Cuccia sull'incontro con Sindona in La Malfa, *Cuccia e il segreto di Mediobanca*, pp. 270-75. Secondo i giudici Urbisci e Viola e il maresciallo Novembre, Cuccia, pur avendo comunicato per tempo tramite un avvocato la magistratura le sue preoccupazioni per l'incolumità di Ambrosoli, non fece nessun riferimento specifico alle minacce profferite da Sindona nell'incontro di New York. Nelle deposizioni rese alla Commissione Sindona e al processo per l'omicidio di Ambrosoli negò persino di aver espresso ai giudici le proprie generiche preoccupazioni per il commissario liquidatore. Giorgio La Malfa e Tamburini motivano questo comportamento con il persistente timore di reazioni da parte del bancarottiere, ancora in vita. Sull'intera vicenda, *ibid.*, pp. 147-49 e Novembre, *Intervista*, a cura di S. Bocconi, in «Corriere della Sera», 7 luglio 2000.

[6] Tribunale di Milano, *Sentenza ordinanza dei giudici Turone e Colombo*, in *Sindona*, p. 126. La Corte d'Assise di Milano, che condannò nel 1986 Sindona all'ergastolo, inflisse rispettivamente due e quattro anni di reclusione a Maria Elisa Sindona e a Piersandro Magnoni per violenza privata e tentata estorsione.

[7] Ambrosoli, *Qualunque cosa succeda*.

[8] Il tentativo di inserire un cuneo tra Ambrosoli e l'istituto di emissione non era del tutto velleitario. Ambrosoli, inquieto, chiese infatti subito dopo la telefonata un incontro con Sarcinelli, da cui uscí peraltro rassicurato: Id., *Qualunque cosa succeda*, p. 237. Il dubbio di essere lasciato solo dalla Banca d'Italia era emerso anche nel 1976. Cfr. Sarcinelli, *Il sacrificio di Ambrosoli*, in Amari (a cura di), *In difesa dello Stato*, pp. 132-33.

[9] Ambrosoli, *Qualunque cosa succeda*, p. 238.

[10] Novembre, *Intervista*, p. 128.

[11] Aricò morí nel 1984 nel corso di un tentativo di evasione dal Metropolitan Correction Center di Manhattan. In precedenza aveva dichiarato ai magistrati di New York di essere stato ingaggiato da Sindona come sicario.

[12] Cfr. la testimonianza di Gustavo Minervini, membro della Commissione Sindona, durante il procedimento penale a carico di Andreotti per l'omicidio di Pecorelli, sintetizzata in Corte di Assise di Perugia, *Sentenza*, p. 132.

[13] Andreotti fu assolto nel 1999 in primo grado dall'imputazione di associazione mafiosa. Nel 2003 la sentenza d'appello considerò estinto il reato di partecipazione al sodalizio criminoso a carico di Andreotti, in quanto cessato nel 1980, in coincidenza con la vittoria della fazione mafiosa dei corleonesi. La Cassazione confermò con sentenza definitiva tale pronunciamento di secondo grado.

[14] Tribunale di Milano, *Sentenza ordinanza dei giudici Turone e Colombo*, in *Sindona*, pp. 71-72.

[15] La lettera fu scritta personalmente da Sindona. Cfr. *ibid.*, pp. 113-14. Si veda anche la missiva dello stesso Sindona di pochi giorni dopo alla figlia e al genero Magnoni, in Simoni e Turone, *Il caffè di Sindona*, p. 26.

[16] Lupo, *Storia della mafia*, p. 227; Camera dei Deputati, Commissione parlamentare d'inchiesta sul fenomeno della mafia in Sicilia, *Relazioni*, pp. 113-19 e pp. 571-74.

[17] Si vedano le testimonianze di Buscetta e Calderone in Tribunale di Palermo, *Sentenza nei confronti di Andreotti*.

[18] *Ibid.*, p. 657.

[19] *Ibid.*, p. 647.

[20] *Ibid.*, p. 656.

[21] Simoni e Turone, *Il caffè di Sindona*, p. 27.

[22] La frase è attribuita da Siino a Giacomo Vitale. Cfr. Tribunale di Palermo, *Sentenza nei confronti di Andreotti*, p. 647.

[23] «Sindona era ormai gestito da Totuccio Inzerillo e dai Gambino e da Sarino [Rosario, *N.d.A.*] Spatola»: *ibid.*, p. 660.

[24] Tribunale di Palermo, *Sentenza ordinanza contro i mafiosi imputati per gli omicidi Reina, Mattarella, La Torre e Di Salvo*, p. 1434.

[25] Id., *Sentenza nei confronti di Andreotti*, pp. 72-73 per Calderone e p. 638 per Mannoia.

[26] Delle indagini si occupò a partire dal maggio 1980 il tribunale di Milano. Nel primo processo di mafia di grande rilievo contro Rosario Spatola e altri mafiosi, istruito a Palermo da Falcone in quello stesso mese, confluirono anche le vicende del falso sequestro.

[27] Imposimato, *Un juge en Italie*, p. 217 (traduzione dell'autore). Secondo Imposimato, la persona cui Gambino alludeva era Roberto Calvi.

[28] Secondo Mannoia, Bontate, per motivare il proprio rifiuto di accettare la sua proposta di raffinare la morfina nella villa di Torretta, gli rivelò che vi si nascondeva Sindona.

[29] Questa ipotesi fu per la prima volta formulata dal deputato radicale Massimo Teodori nella sua relazione di minoranza a conclusione dei lavori della Commissione Sindona.

[30] Pinotti e Tescaroli, *Colletti sporchi*, p. 178.

[31] Tribunale di Palermo, *Sentenza nei confronti di Andreotti*, p. 82.

[32] Bartoccelli e d'Ayala, *L'avvocato dei misteri*, pp. 86-87. Il volume ricostruisce la figura di Guarrasi, stretto collaboratore di Enrico Mattei, vicino ai cugini Salvo, indagato e in seguito prosciolto come mandante dell'omicidio di Mauro De Mauro.

[33] Tribunale di Palermo, *Sentenza nei confronti di Andreotti*, p. 22.

[34] Falcone, *La mafia non è invincibile*, citato in Lodato (a cura di), *Trent'anni di mafia*, pp. 799-807. Nel settembre di quell'anno Falcone fu chiamato da Rocco Chinnici all'Ufficio istruzione del tribunale penale di Palermo. Violante, in *Non è la piovra*, suggerisce, peraltro senza evidenze, un nesso causale diretto fra l'arrivo di Sindona a Palermo e i delitti di terrorismo mafioso.

[35] Lupo, *Quando la mafia trovò l'America*, p. 254.

[36] Cfr. la testimonianza di Mannoia in Tribunale di Palermo, *Sentenza nei confronti di Andreotti*, p. 595.

[37] Lupo, *Storia della mafia*, p. 316.

[38] Tribunale di Palermo, *Sentenza nei confronti di Andreotti*, p. 662.

Epilogo

Sindona restò in libertà provvisoria sino al febbraio del 1980, quando a New York cominciò il processo per il fallimento della Franklin. Il 6 di quel mese, alla prima udienza, la pubblica accusa produsse le evidenze accumulate dall'Fbi attestanti senza ombra di dubbio come il rapimento fosse stato architettato da Sindona stesso. Il giudice gli revocò seduta stante la libertà provvisoria. Fu il suo ultimo giorno di libertà. In maggio fu condannato a venticinque anni per bancarotta fraudolenta. Due giorni prima della sentenza, tentò di suicidarsi in carcere ingerendo medicinali e tagliandosi le vene. Nonostante versasse in condizioni assai critiche, si riprese. Estradato nel settembre 1984 in Italia, nel marzo successivo fu condannato a quindici anni per il dissesto della Banca Privata. Un anno dopo gli fu inflitto il carcere a vita quale mandante dell'omicidio di Ambrosoli.

Durante gli anni di detenzione Sindona continuò a dichiararsi vittima innocente di un complotto ordito dai suoi nemici. Ormai provato dagli anni di prigione, dal carcere di massima sicurezza di Voghera si mise a scrivere sempre meno lucidamente a tante persone, sollecitando elementi che potessero in qualche modo attestare la sua innocenza e denari per procurarsi l'assistenza legale. Nessuno gli diede retta. Alla ricerca di appoggi e solidarietà, scrisse piú di una volta anche a Merzagora (che gli faceva rispondere dalla sua segretaria), reclamando la sua innocenza e reiterando le accuse a Cuccia[1].

Due giorni dopo la condanna all'ergastolo, la mattina del 20 marzo del 1986, stramazzò a terra nella sua cella dopo aver bevuto il caffè, urlando: «Mi hanno avvelenato!» Come Gaspare Pisciotta, il luogotenente del bandito Giuliano, vittima trentadue anni prima di un caffè alla stricnina nel carcere palermitano dell'Ucciardone. Morí quarantott'ore dopo per avvelenamento da cianuro. Secondo l'inchiesta condotta dal procuratore Gianni Simoni[2], il banchiere si suicidò simulando un omicidio. La tesi è persuasiva. Nel libro tratto dall'inchiesta si suggeriscono anche le possibili ragioni della messinscena: l'angoscia per se stesso e per i familiari dopo la sentenza, la compulsione congenita a escogitare *coups de théâtre*, o forse la polizza assicurativa che in caso di omicidio avrebbe riscosso la figlia Maria Elisa, attenuando le pessime condizioni economiche in cui si trovava la famiglia. La morte violenta lo accomuna all'altro banchiere «anomalo» della sua epoca, Roberto Calvi, anche lui mosso da una smisurata ambizione che lo portò a delinquere e a perire. Per molti aspetti, Sindona tracciò quel solco che l'altro proseguí con meno fantasia.

Fu un pioniere nell'ingegno con cui sfruttò anche in modo fraudolento le opportunità offerte dal nuovo contesto finanziario internazionale. In Italia Sindona si scontrò con un sistema finanziario poco esposto alla concorrenza e dominato dalle banche, consentendo a chi le controllava, in primo luogo la mano pubblica, di usufruire di un formidabile strumento d'influenza economica e politica.

Con l'Opa Bastogi si rese protagonista di un assalto che superò per spregiudicatezza l'ultimo grande episodio analogo nella storia finanziaria italiana, la scalata alla Banca Commerciale tentata dal gruppo Perrone-Ansaldo-Banca di Sconto cinquant'anni addietro[3].

Per la prima volta dagli anni Trenta i consolidati equilibri del sistema bancario e finanziario parvero per un momento scricchiolare. Non furono pochi coloro – tra cui Cesare Merzagora ed Eugenio Scalfari – che inizialmente credettero di scorgere in lui l'uomo che poteva intralciare i disegni egemonici di Eugenio Cefis o addirittura l'*homo novus* capace di iniettare le auspicate dosi di concorrenza in una costellazione di poteri immota nel tempo.

Dopo aver servito ingegnosamente le grettezze dell'imprenditoria protagonista del boom, inventando nuove modalità con cui eludere il fisco, costituire illegalmente cespiti patrimoniali, esportare capitali all'estero, Sindona comprese rapidamente che nel mercato finanziario si sarebbero aperte nuove possibilità di speculare in grande, grazie alle scelte finanziarie del Vaticano seguite alla svolta di centrosinistra e alla disponibilità di capitali creatasi con gli indennizzi alle società elettriche. Favorí notevolmente il suo disegno l'insabbiamento del processo di riforma della regolazione dei mercati finanziari e delle società di capitale avviato dai primi governi di centrosinistra.

La vocazione piú autentica di Sindona era quella dello speculatore, di chi incrocia a proprio vantaggio interessi di ogni natura. Su questo, non solo sull'istinto del corsaro, si basava la sua strategia aggressivamente espansionistica. Ma non gli fu mai riconosciuto il diritto a entrare nel club di chi conta: rimase sempre un *parvenu*.

In questo contesto, il rapporto fiduciario con il Vaticano fu per Sindona decisivo per l'accresciuto volume di risorse che gli garantiva, per la possibilità di utilizzare canali che sfuggivano alle norme valutarie e per l'opportunità che gli offriva di accreditarsi come il campione di una finanza cattolica alla ricerca di rivincite. Il legame dello Ior con Sindona è stato il primo caso paradigmatico di un comportamento che solo in tempi recentissimi è stato oggetto di radicali revisioni da parte delle autorità vaticane[4]. Quando nei primi anni Settanta il sistema finanziario internazionale venne colpito dalla «grande pestilenza», quel rapporto fu essenziale per realizzare le operazioni speculative su scala mondiale nelle quali il banchiere eccelleva.

Gli effetti della crisi della Banca Privata e della Franklin rimasero circoscritti, senza ricadute macroeconomiche di rilievo. Non diedero luogo a una crisi sistemica, come il fallimento della banca austriaca Credit-Anstalt nel 1931 o della Lehman Brothers di New York nel 2008, che innescarono invece le due piú grandi recessioni su scala globale mai sperimentate dal capitalismo. Vi furono però riflessi non trascurabili nella regolamentazione bancaria e dei mercati finanziari, negli Stati Uniti e piú ancora in Italia, con la costituzione nel giugno del 1974 della Commissione nazionale per le società e la Borsa e con il menzionato «decreto Sindona» del 27 settembre dello stesso anno.

Dopo la fallita scalata alla Bastogi Sindona si appoggiò alla P2, di cui divenne autorevole membro. Fu Gelli ad assisterlo non solo nella ricerca di sostegni politici, ma anche nella battaglia per scampare all'estradizione in Italia, sollecitando gli *affidavit* da presentare alla magistratura statunitense per attestarne lo status di martire anticomunista. Sindona si considerava un campione della lotta al comunismo, da sempre impegnato per mantenere con tutti i mezzi l'Italia nel «mondo libero». Al di là della strumentalità di questa dichiarazione di fede volta a ingraziarsi gli ambienti conservatori americani, il banchiere però esprimeva un filo rosso che ha percorso la storia della Repubblica, anche nei suoi aspetti piú oscuri e inquietanti, quelli legati all'intreccio eversivo di poteri. Esemplare sotto questo profilo la vicenda del finto sequestro, ideato nell'ambito di un progetto separatista in chiave anticomunista, in cui i primattori erano la mafia e la massoneria. È dalla ricostruzione in sede processuale di quella vicenda che trova conferma l'importanza di Sindona per l'ascesa della potenza di Cosa Nostra. Sindona fu personaggio fondamentale nell'evoluzione dei rapporti tra mafia e finanza, rendendo possibile l'accesso a un vasto *network* internazionale funzionale al riciclaggio e all'investimento dei denari provenienti da attività criminali. Riuscí a creare cosí un grande «dark pool», un bacino finanziario dalla natura opaca, inaccessibile al pubblico.

Nel complesso, il banchiere fu un maestro nello sfruttamento degli ampi margini d'azione aperti dalle debolezze della politica. Rappresentò uno degli snodi importanti del coacervo di poteri legittimi, illegittimi e criminali che soffocavano il Paese e la sua economia. Per questo è stato a lungo difficile contrastarlo, anche da parte di forze come il Partito comunista, che pure si trovava al culmine della propria influenza politica. Nel marzo del 1979, all'indomani dell'attacco contro la Banca d'Italia sferrato da Alibrandi e Infelisi, Pierluigi Ciocca – all'epoca funzionario nel Servizio studi della Banca d'Italia, poi dal 1995 al 2006 vicedirettore generale dell'istituto – varcò per la prima e unica volta il portone di via delle Botteghe Oscure 4, la storica sede della direzione nazionale del Pci, per saggiare la determinazione del partito a difendere l'istituto di emissione. Il partito, dopo un travagliato dibattito interno, aveva da pochi giorni giudicato esaurita l'esperienza dei governi di solidarietà nazionale, perlomeno nella forma di sostegno esterno all'esecutivo. Ciocca fu ricevuto da Luciano Barca, l'autorevole dirigente comunista molto vicino a Berlinguer, il quale, dopo averlo ascoltato con partecipazione, allargando le braccia gli confessò non senza umorismo che nel partito non avevano ancora capito se Andreotti fosse un angelo o un demonio[5].

Soprattutto figure di area laica hanno imputato la debolezza di questo partito nel combattere Sindona a un «realismo politico» proprio della sua tradizione storica, che sarebbe giunto sino a risparmiare Andreotti[6]. Emanuele Macaluso, storico dirigente siciliano del Pci, che illustrò in Parlamento l'orientamento del suo partito in occasione del dibattito sulle conclusioni della Commissione Sindona, successivamente riconobbe che

> [...] ci furono sottovalutazioni e ingenuità negli anni della solidarietà nazionale, nel valutare il ruolo e i comportamenti degli apparati dello Stato. Il Pci in questa ottica, non aveva una cultura di governo, anche se aveva un alto senso dello Stato e una lealtà indiscutibile nei confronti del regime democratico. Non conosceva la vita reale degli apparati e i suoi dirigenti non capirono come e perché si aggregava la P2 [...] Non c'è dubbio che negli anni in cui Sindona era solo un banchiere piú o meno avventuroso, il Pci non individuò il pericolo delle trame che collegavano vari poteri[7].

Sulla stessa lunghezza d'onda, Giuseppe Vacca, nella sua analisi retrospettiva degli ultimi vent'anni di vita del Pci, ha concluso che la Dc riuscí infine ad associare i comunisti alla «distorsione partitocratica del sistema politico»[8].

Con riferimento alla lotta alla mafia, Giovanni Falcone ha rilevato che l'opposizione spesso confondeva la lotta contro la Dc con quella contro Cosa Nostra, sulla base del pregiudizio che la mafia non si sarebbe potuta vincere senza sconfiggere il governo democristiano[9]. Sebbene i comunisti siano stati essenziali negli anni Settanta per arginare la destabilizzazione economica e politica e abbiano dato negli anni immediatamente successivi un apporto di grande rilievo alla lotta alla mafia (si pensi al disegno di legge che introduceva il reato di associazione mafiosa e la confisca dei patrimoni mafiosi, che costò la vita nel 1982 a Pio La Torre, all'epoca segretario del Pci siciliano, che l'aveva proposto insieme con il ministro dell'Interno, il democristiano Virginio Rognoni), il loro contributo a sconfiggere Sindona, come peraltro quello delle altre forze politiche, fu limitato. Ai funerali di Ambrosoli non partecipò alcun rappresentante delle istituzioni, a eccezione dei magistrati incaricati delle indagini sul dissesto della Privata, Ovilio Urbisci e Guido Viola, e del governatore Baffi. Ma non c'erano neanche gli esponenti delle forze che pure avevano intuito il significato di quel delitto[10], lasciando soli i difensori della legalità come il commissario assassinato. «A quarant'anni di colpo ho fatto politica e in nome dello Stato e non per un partito», scriveva Ambrosoli nel febbraio 1975 alla moglie Anna Lori, nella lettera che può considerarsi retrospettivamente il suo testamento spirituale[11]. Nel 2010 il maresciallo Silvio Novembre ha rammentato non senza amarezza lo sconforto di Ambrosoli nel constatare il loro isolamento:

> [...] senza nemmeno l'appoggio dell'opposizione che neppure durante i tentativi maldestri di salvataggio appariva disposta a insorgere in Parlamento contro i raggiri di quel bancarottiere [...] e tutto questo proprio mentre negli Stati Uniti venivamo accusati da Sindona di essere dei persecutori a fini politici, e soprattutto a favore del Partito comunista. Dicevamo: magari questi ci dessero una mano. Invece eravamo nell'isolamento piú totale, assoluto[12].

Sindona fu la personificazione estrema di una caratteristica italiana che iniziò ad assumere un forte rilievo negli anni Settanta, ben al di là del campo finanziario: il disprezzo nei confronti di regole che discendessero da esigenze di tutela del bene comune e la connessa incapacità da parte delle istituzioni politiche ed economiche di imporle con successo.

Iniziò in quegli anni il declino di una cultura repubblicana che – sebbene in forme diverse e contraddittorie – le grandi forze politiche avevano saputo fino ad allora mantenere in vita, sia pur con presa decrescente. Né il caso Sindona era isolato: in quegli anni emersero come si è detto numerosi altri casi di criminalità economica, di complotti contro il pubblico interesse, di corruzione e di malaffare, formando una scia prolungatasi fino a «Mani Pulite», all'implosione della prima Repubblica e oltre.

Sindona fu infine sconfitto. Oggi fatichiamo a ricostruire un'atmosfera che può apparire quasi surreale. Soprattutto per chi era nel suo mirino, la percezione che lui e i suoi amici mafiosi contassero relazioni importanti fra i massimi vertici degli apparati statali e nella cerchia dello stesso presidente del Consiglio era già allora piú che verosimile. Non è facile oggi immaginare lo stato d'animo di Ambrosoli, la quasi totale solitudine in cui resistette alle intimidazioni, l'incertezza sull'affidabilità dei suoi interlocutori. Cosí come a stento possiamo figurarci la costernazione di Baffi e Sarcinelli, quando dovettero verificare sulla propria pelle la potenza del «complesso politico-affaristico-giudiziario» che agiva allora nel Paese.

Quell'emergenza, l'emergenza degli anni Settanta, è cessata. Vi hanno contribuito come noto diversi fattori, di ordine interno e internazionale, politico ed economico. Per la sconfitta di Sindona, che di quell'emergenza fu una delle cifre, fu essenziale il contributo di poche, pochissime, persone, animate da un patrimonio di valori civili e morali oggi corroso in forme meno eclatanti, ma piú pervasive, a lungo andare forse piú insidiose. Anche per questo la scelta di quelle persone vive nella nostra memoria.

[1] De Ianni e Varvaro (a cura di), *Cesare Merzagora*, p. 157.

[2] Gli elementi essenziali di tale inchiesta sono riassunti nel volume di Simoni e Turone, *Il caffè di Sindona*.

[3] Sraffa, *The Bank Crisis in Italy*, in «Economic Journal», XXXII (giugno 1922), n. 126, pp. 178-97.

[4] Il nome di Sindona è riemerso nell'aprile 2014 quando, per contrastare tale azione, alcune lettere del banchiere risalenti al 1970 e attestanti l'intensità dei suoi rapporti con il Vaticano sono state sottratte dai depositi della Prefettura pontificia e fatte ritrovare in un plico anonimo a scopo intimidatorio. Cfr. Nuzzi, *Via Crucis*, pp. 186-87.

[5] Colloquio di Pierluigi Ciocca con l'autore (aprile 2015). Luciano Barca, che era in buoni rapporti con Baffi, non menziona l'episodio nel suo diario: cfr. Id., *Cronache dall'interno del vertice del Pci*.

[6] «Io ponevo ai colleghi senatori del Pci il problema della corresponsabilità – ovviamente indiretta e involontaria e soltanto politica – nella degenerazione del sistema e nell'incredibile vicenda che vide l'ascesa e la caduta di Sindona. Tale corresponsabilità consisteva, a mio parere, nella rigorosa applicazione di quel realismo politico di scuola che insegna a porre in secondo piano i valori etici-politici la cui presenza attiva possa intralciare inopportunamente la strategica marcia verso il governo [...] In particolare, ed è un particolare essenziale, essi debbono comprendere e farci comprendere come sia stato possibile che un uomo politico come l'on. Giulio Andreotti divenisse per il Pci praticamente un mito intoccabile»: cfr. Ferrara, *Il giorno che feci arrabbiare Andreotti*, in «Micromega», X (febbraio 1995), n. 1, p. 161. Cfr. anche Teodori, *La Banda Sindona*, pp. 15-21. Per una critica alle modalità dell'opposizione comunista in Sicilia, si veda Lupo, *Andreotti, la mafia*, pp. 83-85.

[7] Macaluso, *Giulio Andreotti tra Stato e mafia*, p. 25.

[8] Vacca, *Vent'anni dopo*, p. 9. Si veda anche, con riferimento a Tangentopoli, p. 214.

[9] Falcone, *Cose di Cosa nostra*, p. 150.

[10] Cfr., con riferimento all'omicidio di Ambrosoli, L. Barca, *Cronache dall'interno del Pci*, p. 786.

[11] Stajano, *Un eroe borghese*, p. 102.

[12] Novembre, *La fatica della legalità*, in Amari (a cura di), *In difesa dello Stato*, p. 128.

Riferimenti bibliografici

Aa.Vv., *Dossier Sindona*, Kaos Edizioni, Milano 2005.

Adornato, Giselda, *Cronologia dell'episcopato di Giovanni Battista Montini a Milano, 4 gennaio 1955-21 giugno 1963*, Istituto Paolo VI-Edizioni Studium, Brescia-Roma 2002.

Amari, Giuseppe (a cura di), *In difesa dello Stato, al servizio del paese*, Ediesse, Roma 2010.

Amari, Giuseppe e Vinci, Anna (a cura di), *Loggia P2. Il Piano e le sue regole*, Castelvecchi, Roma 2014.

Amato, Giuliano, *Economia, politica e istituzioni in Italia*, il Mulino, Bologna 1976.

Amatori, Franco e Brioschi, Francesco, *Le grandi imprese private*, in Barca (a cura di), *Storia del capitalismo italiano dal dopoguerra a oggi* cit.

Ambrosoli, Giorgio, *Intervista*, a cura di C. Belihar, in «Europa domani», II (aprile 1975), n. 1.

Ambrosoli, Umberto, *Qualunque cosa succeda*, Sironi, Milano 2009.

Andreatta, Beniamino e D'Adda, Carlo, *Effetti reali o nominali della svalutazione? Una riflessione sull'esperienza italiana dopo il primo shock petrolifero*, in «Politica economica», I (aprile 1985), n. 1.

Anselmi, Tina, *Una testimonianza*, in Amari e Vinci (a cura di), *Loggia P2* cit.

Arcelli, Mario (a cura di), *Storia, economia e società in Italia, 1947-1977*, Laterza, Roma-Bari 1997.

Arlacchi, Pino, *Il processo. Giulio Andreotti sotto accusa a Palermo*, Rizzoli, Milano 1995.

Baffi, Paolo, *Lettera a Massimo Riva del 3 marzo 1983*, in Amari (a cura di), *In difesa dello Stato* cit., pp. 35-36.

-, *Cronaca breve di una vicenda giudiziaria*, *ibid.*, pp. 37-89.

Banca d'Italia, *Relazione della Banca d'Italia sull'anno 1973. Considerazioni finali del governatore*, Roma 1974.

-, *Relazione della Banca d'Italia sull'anno 1974. Considerazioni finali del governatore*, Roma 1975.

Barbagallo, Francesco (a cura di), *Storia dell'Italia repubblicana*, vol. III, *L'Italia nella crisi mondiale. L'ultimo ventennio*, Einaudi, Torino 1998.

Barbiellini Amidei, Federico e Impenna, Claudio, *Il mercato azionario e il finanziamento delle imprese negli anni Cinquanta*, in Cotula (a cura di), *Stabilità e sviluppo negli anni Cinquanta*, vol. VII/3, *Politica bancaria e struttura del sistema finanziario* cit., pp. 657-883.

Barca, Fabrizio (a cura di), *Storia del capitalismo italiano dal dopoguerra a oggi*, Donzelli, Roma 1997.

–, *Compromesso senza riforme nel capitalismo italiano*, ibid., pp. 3-116.

Barca, Luciano, *Cronache dall'interno del vertice del Pci*, 3 voll., Rubbettino, Soveria Mannelli 2005.

Bartoccelli, Marianna e d'Ayala, Francesco, *L'avvocato dei misteri. Storia segreta di Vito Guarrasi, l'uomo dei consigli indispensabili che ha condizionato il potere italiano*, Castelvecchi, Roma 2012.

Basevi, Giorgio e Onofri, Paolo, *Uno sguardo retrospettivo alla politica economica italiana negli anni Settanta*, in Arcelli (a cura di), *Storia, economia e società in Italia* cit., pp. 221-92.

Bellacci, Marzio e Zullino, Pietro, *Il mistero di Jack Begon: come si fa sparire un reporter*, in «Epoca», XXIV (5 agosto 1973).

Bellavite Pellegrini, Carlo, *Storia del Banco Ambrosiano. Fondazione, ascesa e dissesto 1896-1982*, Laterza, Roma-Bari 2002.

Belli, Franco, Minervini, Gustavo, Patroni Griffi, Antonio e Porzio, Mario (a cura di), *Banche in crisi 1960-1985*, Laterza, Roma-Bari 1987.

Bocca, Giorgio, *Miracolo all'italiana*, Feltrinelli Economica, Milano 1980.

Bodei, Remo, *L'ethos dell'Italia repubblicana*, in Barbagallo (a cura di), *Storia dell'Italia repubblicana*, vol. III cit., t. II, pp. 625-98.

Bollati, Giulio, *L'italiano. Il carattere nazionale come storia e come invenzione*, Einaudi, Torino 1983.

Bordoni, Carlo, *Intervista*, a cura di P. Panerai, in «Il Mondo», XXIX (16 e 23 marzo 1977).

Bruno, Giovanni e Segreto, Luciano, *Finanza e industria in Italia (1963-1995)*, in Barbagallo (a cura di), *Storia dell'Italia repubblicana*, vol. III cit., t. I, pp. 500-7.

Cafagna, Luciano, *La grande slavina. L'Italia verso la crisi della democrazia*, Marsilio, Venezia 1993.

Calabrò, Maria Antonietta, *Le mani della mafia*, Chiarelettere, Milano 2014.

Camera dei Deputati, Commissione parlamentare d'inchiesta sul fenomeno della mafia in Sicilia, *Relazione conclusiva* e *Relazione di minoranza*, presentata da Pio La Torre *et al.*, Roma 1976.

Camera dei Deputati-Senato della Repubblica, Commissione parlamentare d'inchiesta sulla Loggia massonica P2, *Allegati alla relazione*, Roma 1984.

Carli, Federico, *La figura e l'opera di Guido Carli*, vol. II, *Testimonianze*, Bollati Boringhieri, Torino 2014.

Carli, Guido, *Regime dei cambi e capitale di rischio delle imprese*, testo dell'intervento in occasione della Giornata mondiale del Risparmio, in «Bancaria», XXVII (ottobre 1971), n. 10, pp. 1256 sgg.

–, *Tipicità dei dissesti bancari*, in Belli *et al.* (a cura di), *Banche in crisi 1960-1985* cit.

–, *Pensieri di un ex governatore*, Edizioni Studio Tesi, Pordenone 1988.

–, *Cinquant'anni di vita italiana*, Laterza, Roma-Bari 1993.

Carli, Guido, Monti, Mario e Padoa Schioppa, Tommaso, *Sviluppo e stabilità delle strutture finanziarie. La recente esperienza internazionale e il caso italiano*, in Cesarini e Onado (a cura di), *Struttura e stabilità del sistema finanziario* cit., pp. 211-33.

Cavallo, Luigi, *Banca d'Italia. Inefficienza, servilismo e corruzione*, s.e., s.l. [ma 1992].

Cesarini, Francesco, *Osservazioni in merito allo svolgimento delle crisi bancarie in Italia*, in Belli *et al.* (a cura di), *Banche in crisi 1960-1985* cit.

Cesarini, Francesco e Onado, Marco (a cura di), *Struttura e stabilità del sistema finanziario*, il Mulino, Bologna 1979.

Chiara, Piero, *L'amara cena del governatore*, in «Il Sole 24 Ore», 23 ottobre 2005.

Ciocca, Pierluigi, *Ricchi per sempre? Una storia economica d'Italia (1796-2005)*, Bollati Boringhieri, Torino 2007.

Ciocca, Pierluigi, Filosa, Renato e Rey, Guido M., *Integrazione e sviluppo dell'economia italiana nell'ultimo ventennio. Un riesame critico*, in «Contributi alla ricerca economica», n. 3, Centro stampa della Banca d'Italia, Roma 1973.

Ciocca, Pierluigi, Giussani, Carlo Alberto e Lanciotti, Giulio, *Sportelli, dimensioni e costi. Uno studio sulla struttura del sistema bancario italiano*, in «Quaderni di ricerche», n. 15, Ente per gli studi monetari, bancari e finanziari Luigi Einaudi, Roma 1974.

Coen, Leonardo e Sisti, Leo, *Il caso Marcinkus. Le vie del denaro sono infinite*, Mondadori, Milano 1991.

Cooke, Philip, *Luglio 1960. Tambroni e la repressione fallita*, Teti Editore, Milano 2000.

Cordtz, Dan, *What's behind the Sindona Invasion*, in «Fortune», XLIV (agosto 1973).

Corte di Assise di Perugia, *Sentenza nei confronti di Calò Giuseppe, Andreotti Giulio, Vitalone Claudio, Carminati Massimo, Badalamenti Gaetano, La Barbera Michelangelo*, 24 settembre 1999.

Cotula, Franco (a cura di), *Stabilità e sviluppo negli anni Cinquanta*, vol. VII/3, *Politica bancaria e struttura del sistema finanziario*, Laterza, Roma-Bari 1999.

Crafts, Nicholas e Magnani, Marco, *L'Età dell'Oro e la seconda globalizzazione*, in Toniolo (a cura di), *L'Italia e l'economia mondiale*, pp. 97-146.

Crainz, Guido, *Storia del miracolo italiano. Culture, identità, trasformazioni fra anni Cinquanta e Sessanta*, Donzelli, Roma 2005.

–, *Il paese reale. Dall'assassinio di Moro all'Italia di oggi*, Donzelli, Roma 2012.

Craveri, Piero, *La Repubblica dal 1958 al 1992*, Utet, Torino 1995.

De Cecco, Marcello, *Splendore e crisi del sistema Beneduce. Note sulla struttura finanziaria e industriale dell'Italia dagli anni Venti agli anni Sessanta*, in F. Barca (a cura di), *Storia del capitalismo italiano* cit., pp. 389-404.

De Ianni, Nicola, *Tra industria e finanza*, in Id. e Varvaro (a cura di), *Cesare Merzagora* cit., pp. 153-55.

De Ianni, Nicola e Varvaro, Paolo (a cura di), *Cesare Merzagora. Il presidente scomodo*, Prismi, Napoli 2004.

De Luca, Maurizio e Panerai, Paolo, *Il crack. Sindona, la Dc, il Vaticano e gli altri amici*, Mondadori, Milano 1977.

Di Fonzo, Luigi, *St. Peter's Banker. Michele Sindona*, Mainstream Publishing, Edinburgh 1983.

Dondi, Mirco, *L'eco del boato. Storia della strategia della tensione 1965-1974*, Laterza, Roma-Bari 2015.

Falcone, Giovanni, *La mafia non è invincibile*, in «Micromega», V (settembre 1990), n. 9, in Lodato (a cura di), *Trent'anni di mafia* cit., pp. 799-807.

–, *Cose di Cosa nostra*, in collaborazione con Marcelle Padovani, Fabbri Editori-«Corriere della Sera», Milano 1995.

Ferrara, Giovanni, *Il giorno che feci arrabbiare Andreotti*, in «Micromega», X (febbraio 1995), n. 1, pp. 155-64.

Filosa, Renato e Visco, Ignazio, *Costo del lavoro, indicizzazione e perequazione delle retribuzioni negli anni '70*, in Nardozzi (a cura di), *I difficili anni '70* cit., pp. 107-39.

Franzinelli, Mimmo, *Il Piano Solo*, Mondadori, Milano 2010.

Franzinelli, Mimmo e Magnani, Marco, *Beneduce. Il finanziere di Mussolini*, Mondadori, Milano 2009.

Galli, Giancarlo, *Finanza bianca. La Chiesa, i soldi, il potere*, Mondadori, Milano 2004.

Gigliobianco, Alfredo, *Via Nazionale. Banca d'Italia e classe dirigente. Cento anni di storia*, Donzelli, Roma 2006.

Giordano, Francesco, *Storia del sistema bancario italiano*, Donzelli, Roma 2007.

Gorresio, Vittorio, *L'Italia a sinistra*, Rizzoli, Milano 1963.

Gotor, Miguel, *Il memoriale della Repubblica. Gli scritti di Aldo Moro dalla prigionia e l'anatomia del potere italiano*, Einaudi, Torino 2011.

Guarino, Giuseppe, *La questione Baffi-Sarcinelli nel ricordo di Giuseppe Guarino*, in Amari (a cura di), *In difesa dello Stato* cit., pp. 179-86.

Imposimato, Ferdinando, *Un juge en Italie: pouvoir, corruption, terrorisme. Les dossiers noirs de la Mafia*, Éditions de Fallois, Paris 2000.

–, *L'Italia segreta dei sequestri*, Newton Compton, Roma 2013.

Lai, Benny, *Finanze vaticane. Da Pio XI a Benedetto XVI*, Rubbettino, Soveria Mannelli 2012.

La Malfa, Giorgio, *Cuccia e il segreto di Mediobanca*, Feltrinelli, Milano 2014.

Lanaro, Silvio, *Storia dell'Italia repubblicana. L'economia, la politica, la cultura, la società dal dopoguerra agli anni '90*, Marsilio, Venezia 1992.

Lodato, Saverio (a cura di), *Trent'anni di mafia*, Rizzoli Bur, Milano 2006.

Lombard (pseud. di R. Gattoni), *Soldi truccati. I segreti del sistema Sindona*, Feltrinelli, Milano 1980.

Lupo, Salvatore, *Andreotti, la mafia, la storia d'Italia*, Donzelli, Roma 1996.

–, *Storia della mafia*, Donzelli, Roma 2005.

–, *Quando la mafia trovò l'America. Storia di un intreccio intercontinentale, 1888-2008*, Einaudi, Torino 2008.

Macaluso, Emanuele, *Giulio Andreotti tra Stato e mafia*, Rubbettino, Soveria Mannelli 1995.

–, *I santuari. Mafia, Massoneria e servizi segreti: la triade che ha condizionato l'Italia*, Castelvecchi, Roma 2014.

Magnani, Marco, *Alla ricerca di regole nelle relazioni industriali. Breve storia di due fallimenti*, in F. Barca (a cura di), *Storia del capitalismo italiano* cit., pp. 501-44.

Marchetti, Piergaetano, *Diritto societario e disciplina della concorrenza*, *ibid.*, pp. 482-85.

Marino, Giuseppe Carlo, *I padrini*, Newton Compton, Roma 2009.

Martin, Malachi, *The Final Conclave*, Corgi Childrens, London 1979.

Mattioli, Raffaele, *I problemi attuali del credito*, in «Mondo economico», XVII (1962), n. 29, pp. 29-35.

Merzagora, Cesare, *Intervista*, a cura di P. Banas, in «Panorama», XXVI (15 febbraio 1987).

Montanaro, Silvestro e Ruotolo, Sandro (a cura di), *La vera storia d'Italia. Interrogatori, testimonianze, riscontri, analisi. Giancarlo Caselli e i suoi sostituti ricostruiscono gli ultimi vent'anni di storia italiana*, Tullio Pironti, Napoli 1995.

Nardozzi, Giangiacomo (a cura di), *I difficili anni '70. I problemi della politica economica italiana 1973-1979*, Etas Libri, Milano 1980.

Novembre, Silvio, *Intervista*, a cura di S. Bocconi, in «Corriere della Sera», 7 luglio 2000.

–, *La fatica della legalità*, in Amari (a cura di), *In difesa dello Stato* cit., pp. 119-30.

Nuzzi, Gianluigi, *Vaticano S.p.A. Da un archivio segreto la verità sugli scandali finanziari e politici della Chiesa*, Chiarelettere, Milano 2009.

Nuzzi, Gianluigi, *Via Crucis. Da registrazioni e documenti inediti la difficile lotta di papa Francesco per cambiare la Chiesa*, Chiarelettere, Milano 2015.

Oversight Hearings into the Effectiveness of Federal Bank Regulation (Franklin National Bank Failure), U.S. Government Printing Office, Washington 1976.

Panerai, Paolo, *Dietro Sindona*, in «Panorama», XIII (5 settembre 1974).

Pecorelli, Francesco e Sommella, Roberto, *I veleni di «OP». Le notizie riservate di Mino Pecorelli*, Kaos Edizioni, Milano 1995.

Pezzino, Paolo, *Senza Stato. Le radici storiche della crisi italiana*, Laterza, Roma-Bari 2002.

Pinotti, Ferruccio, *Poteri forti*, Rizzoli, Milano 2005.

Pinotti, Ferruccio e Tescaroli, Luca, *Colletti sporchi*, Rizzoli, Milano 2008.

Pizzorno, Alessandro, *Le trasformazioni del sistema politico italiano, 1976-1992*, in Barbagallo (a cura di), *Storia dell'Italia repubblicana*, vol. III cit., t. II, pp. 303-44.

Radi, Luciano, *Tambroni trent'anni dopo. Il luglio 1960 e la nascita del centrosinistra*, il Mulino, Bologna 1990.

Romiti, Cesare, con Madron, Paolo, *Storia segreta del capitalismo italiano*, Longanesi, Milano 2012.

Rossi, Salvatore, *La politica economica italiana 1968-2007*, Laterza, Roma-Bari 2007.

Salvati, Michele, *Occasioni mancate. Economia e politica in Italia dagli anni '60 a oggi*, Laterza, Roma-Bari 2000.

Sarcinelli, Mario, *Il sacrificio di Ambrosoli*, in Amari (a cura di), *In difesa dello Stato* cit., pp. 131-36.

Scalfari, Eugenio e Turani, Giuseppe, *Razza padrona. Storia della borghesia di Stato e del capitalismo italiano*, Feltrinelli, Milano 1974.

Scoppola, Pietro, *La repubblica dei partiti. Evoluzione e crisi di un sistema politico (1945-1996)*, il Mulino, Bologna 1991.

Senato della Repubblica, *Documentazione allegata alla relazione conclusiva sul caso Sindona e sulle responsabilità politiche e amministrative ad esso eventualmente connesse*, vol. CXI, Roma 1983.

–, *Documentazione allegata alla relazione conclusiva sul caso Sindona e sulle responsabilità politiche e amministrative ad esso eventualmente connesse*, vol. CXII, Roma 1983.

–, *Documentazione allegata alla relazione conclusiva sul caso Sindona e sulle responsabilità politiche e amministrative ad esso eventualmente connesse*, vol. CXIV, Roma 1983.

–, *Documentazione allegata alla relazione conclusiva sul caso Sindona e sulle responsabilità politiche e amministrative ad esso eventualmente connesse*, vol. CXV, Roma 1983.

Silij, Alessandro, *Malpaese. Criminalità, corruzione e politica nell'Italia della prima Repubblica, 1943-1994*, Donzelli, Roma 1994.

Simoni, Gianni e Turone, Giuliano, *Il caffè di Sindona. Un finanziere d'avventura tra politica, Vaticano e mafia*, Garzanti, Milano 2009.

Sindona, Michele, *«Stabilità monetaria». Relazione presentata dall'avv. Michele Sindona all'Assemblea generale dell'Unione commercianti della Provincia di Milano, tenutasi alla presenza del Ministro per l'Industria e Commercio il 2 marzo 1964*, in AsBi, Direttorio, carte Carli, cart. 56, fasc. 72, pp. 2-13.

-, *Intervista*, a cura di L. Tornabuoni, in «La Stampa», 6 aprile 1975.

-, *Intervista*, a cura di E. Magrí, in «L'Europeo», XXXI (24 aprile 1975).

-, *Intervista*, a cura di E. Catania, in «Tempo Illustrato», XXXVIII (29 agosto 1975).

Sinkey, Joseph F. jr, *The Collapse of Franklin National Bank of New York*, in «Journal of Bank Research», VII (estate 1976), n. 2, pp. 113-22.

Sogno, Edgardo e Cazzullo Aldo, *Testamento di un anticomunista. Dalla Resistenza al golpe bianco: storia di un italiano*, Sperling & Kupfer, Milano 2010.

Spaventa, Luigi, *Prefazione* a Cornwell, Rupert, *Il banchiere di Dio. Roberto Calvi*, Laterza, Roma-Bari 1983.

-, *Fu troppo onesto per piacere ai politici*, in «la Repubblica», 7 aprile 1990.

Spero, Joan Edelman, *Il crollo della Franklin National Bank. Una sfida al sistema bancario internazionale*, il Mulino, Bologna 1982.

Sraffa, Piero, *The Bank Crisis in Italy*, in «Economic Journal», XXXII (giugno 1922), n. 126, pp. 178-97.

Stajano, Corrado, *Un eroe borghese. Il caso dell'avvocato Giorgio Ambrosoli assassinato dalla mafia politica*, Einaudi, Torino 1991.

Tamburini, Fabio, *Un siciliano a Milano. Enrico Cuccia*, Longanesi, Milano 1992.

Teodori, Massimo, *La Banda Sindona*, Gammalibri, Milano 1982.

-, *P2. La controstoria*, SugarCo, Milano 1986.

Toniolo, Gianni (a cura di), *L'Italia e l'economia mondiale dall'Unità a oggi*, Marsilio, Venezia 2013.

Tornielli, Andrea, *Paolo VI. L'audacia di un papa*, Mondadori, Milano 2009.

Tosches, Nick, *Il mistero Sindona*, Alet Edizioni, Padova 2009.

Tribunale di Milano, *Sentenza ordinanza dei giudici Giuliano Turone e Gherardo Colombo*, pubblicata in *Sindona. Gli atti di accusa dei giudici di Milano*, Editori Riuniti, Roma 1986.

Tribunale di Palermo, *Ordinanza sentenza contro i mafiosi imputati per gli omicidi Reina, Mattarella, La Torre e Di Salvo, emessa nel procedimento penale contro Greco Michele + 18*, 9 giugno 1991.

Tribunale di Palermo, *Sentenza nei confronti di Andreotti Giulio*, 23 ottobre 1999.

Turco, Maurizio, Pontesilli, Carlo e Di Battista, Gabriele, *Paradiso Ior. La banca vaticana tra criminalità finanziaria e politica dalle origini al crack Monte dei Paschi*, Castelvecchi, Roma 2013.

Vacca, Giuseppe, *Vent'anni dopo. La sinistra fra mutamenti e revisioni*, Einaudi, Torino 1997.

Varvaro, Pietro, *La politica al tempo di Merzagora*, in De Ianni e Id. (a cura di), *Cesare Merzagora* cit., pp. 345-456.

Vinci, Anna (a cura di), *La P2 nei diari segreti di Tina Anselmi*, Chiarelettere, Milano 2011.

Violante, Luciano, *Non è la piovra. Dodici tesi sulle mafie*, Einaudi, Torino 1994.

Indice dei nomi

Abbruciati, Danilo, 121.
Adornato, Giselda, 30, 35 (11).
Agnelli, Giovanni, 47, 48, 52.
Alessandrini, Emilio, 107, 109.
Alibrandi, Antonio, 107-9, 142.
Amari, Giuseppe, 123 (30, 35, 38), 137 (8), 146 (12).
Amato, Giuliano, 21 (8).
Amatori, Franco, 59 (7), 60 (17).
Ambrosoli, Giorgio, 4, 5, 55, 60 (34), 78, 92-94, 96, 100-2, 124 (65), 125, 127-29, 132, 135, 137 (5, 8), 139, 144, 145, 146 (10).
Ambrosoli, Umberto, 60 (31), 122 (9), 123 (47), 127, 137 (9).
Andreatta, Beniamino, 88 (45), 109.
Andreotti, Giulio, 4, 70, 96, 98-101, 103, 104, 107, 109, 110, 113, 114, 117, 120, 122 (12, 14, 16, 17, 20), 123 (29), 126, 128-30, 134, 137 (12, 13), 143.
Anselmi, Tina, 123 (51).
Arcaini, Giuseppe, 102, 103, 105.
Arcelli, Mario, 88 (45).
Aricò, William Joseph, 127, 129, 137 (11).
Arista, Antonino, 75.
Arlacchi, Pino, 136 (1).
Auletta Armenise, famiglia, 48.

Baffi, Paolo, 96, 102, 103-10, 118, 122 (24), 123 (30), 124 (58), 144, 145.
Bagnasco, Orazio, 120, 121.
Balducci, Domenico, 103, 121.
Baisi, Raul, 25, 26, 45.
Banas, Pietro, 60 (20).
Barbagallo, Francesco, 22 (21), 60 (17).
Barbiellini Amidei, Federico, 59 (11).
Barca, Fabrizio, 21 (4, 11, 17), 59 (7).
Barca, Luciano, 143, 145 (5), 146 (10).
Barone, Mario, 70, 73, 75, 76, 99.
Barr, Joseph Walker, 67.
Barresi, Michele, 132.
Bartoccelli, Marianna, 138 (32).
Basevi, Giorgio, 88 (45).
Bassetti, famiglia, 46.

Begon, Jack, 125.
Belihar, Carlo, 60 (34).
Bellacci, Marzio, 137 (4).
Bellantonio, Francesco, 112.
Bellavite Pellegrini, Carlo, 123 (53), 124 (69).
Benedetti, Giulio, detto Arrigo, 34.
Beneduce, Alberto, 46, 58.
Berlinguer, Enrico, 29, 99, 143.
Bianchi, Tancredi, 75, 93.
Bocca, Giorgio, 59 (4).
Bocconi, Sergio, 137 (5).
Bodei, Remo, 22 (22, 25).
Bollati, Giulio, 18, 21 (19).
Bonomi Bolchini, famiglia, 46.
Bonomi Bolchini, Anna, 26, 42, 55, 112.
Bontate, Stefano, 129, 133-36, 138 (28).
Bordoni, Carlo, 54, 55, 60 (31), 64, 67, 74, 89, 96, 122 (1, 16).
Bordoni, Virginia, 89.
Borghese, Junio Valerio, 131.
Borghi, famiglia, 46.
Brioschi, Francesco, 59 (7), 60 (17).
Brughera, Mino, 39.
Bruno, Giovanni, 60 (17).
Brusadelli, Giulio, 41.
Buscetta, Tommaso, 103, 135, 137 (17).
Burns, Arthur Frank, 68.

Cafagna, Luciano, 19, 21 (15), 22 (23).
Cafiero, Luca, 87 (18).
Calabrò, Maria Antonietta, 123 (37), 124 (59, 60).
Calderone, Antonino, 133, 137 (17), 138 (25).
Calò, Giuseppe, detto Pippo, 103, 121.
Caltagirone, fratelli, 102, 104.
Caltagirone, Gaetano, 122 (26).
Calvi, Carlo, 115.
Calvi, Roberto, 33, 42, 48, 52, 53, 102, 109, 115-21, 123 (52), 124 (55), 133, 138 (27), 140.
Carboni, Flavio, 121, 124 (73).

Carli, Federico, 60 (38), 87 (15, 20), 88 (40, 43).
Carli, Guido, 3, 10, 19, 21 (3, 7), 35 (5), 40, 46-48, 52, 54, 56, 57, 59 (6, 8), 60 (16, 22, 28, 33, 37), 72, 74-78, 81, 82, 83-86, 87 (19, 26, 29, 30), 90-92, 96, 103, 116.
Carnelutti, Francesco, 25.
Carnelutti, Tito, 25.
Castaldi, Italo, 126.
Catania, Enzo, 122 (6).
Cavallo, Luigi, 114, 118, 124 (65, 66), 126.
Cazzullo, Aldo, 123 (46).
Cefis, Eugenio, 49, 50, 52, 140.
Cesarini, Francesco, 35 (5), 88 (41).
Chiang Kai-shek, 89.
Chiara, Piero (nato Pierino), 107, 123 (32).
Chinnici, Rocco, 138 (34).
Churchill, Winston, 37.
Ciampi, Carlo Azeglio, 88 (40), 102.
Cilio, Caterina, 25.
Cini, famiglia, 46.
Ciocca, Pierluigi, 21 (1, 9), 22 (20), 35 (6), 142, 143, 145 (5).
Coco, Francesco, 100.
Coen, Leonardo, 35 (9).
Colombo, Emilio, 72, 75, 78, 87 (15).
Colombo, Giuseppe, 25.
Connally, John, 90.
Cooke, Philip, 21 (2).
Cordtz, Dan, 35 (2), 60 (32).
Cornwell, Rupert, 88 (41).
Cossiga, Francesco, 101.
Cossutta, Armando, 35 (8).
Costa, Giuseppe, detto Peppino, 132.
Cotula, Franco, 59 (11).
Crafts, Nicholas, 21 (10).
Crainz, Guido, 21 (10, 16), 59 (3).
Craveri, Piero, 21 (2), 22 (28).
Cuccia, Enrico, 24, 26, 38, 39, 49, 50, 52, 55, 56, 78, 82, 84, 91, 122 (4), 125-28, 131, 135, 137 (5), 139.

D'Adda, Carlo, 88 (45).
D'Alema, Giuseppe, 87 (18).
D'Ayala, Francesco, 138 (32).
De Benedetti, Carlo, 121.
De Cecco, Marcello, 21 (17).
De Gasperi, Alcide, 14, 29.
De Ianni, Nicola, 21 (12), 60 (20, 21), 145.
De Lorenzo, Giovanni, 11.
De Luca, Giuseppe, 29,
De Luca, Maurizio, 60 (25), 92, 122 (16), 123 (40).
De Mauro, Mauro, 138 (32).
Desario, Vincenzo, 77, 84.
De Strobel, Pellegrino, 124 (71).
Di Carlo, Francesco, 134.
Di Fonzo, Luigi, 35 (7).

Di Jorio, Alberto, 28, 29, 27.
Diotallevi, Ernesto, 121, 124 (73).
Dondi, Mirco, 123 (47).
Doria, Arturo, 26.

Evangelisti, Franco, 101, 102, 106, 122 (26), 126.

Faina, Renato, 26.
Falcone, Giovanni, 133, 136, 138 (26, 34), 143, 146 (9).
Fanfani, Amintore, 8, 13, 60 (41).
Fazzino, Francesco, 131, 133.
Federici, Fortunato, 101, 117, 126.
Feltrinelli, famiglia, 33.
Feltrinelli, Carlo, 33.
Feltrinelli, Giangiacomo, 33.
Ferrara, Giovanni, 145 (6).
Fignon, Giovanbattista, 74, 76.
Filosa, Renato, 21 (9, 14).
Finardi, Giampaolo, 105.
Franzinelli, Mimmo, 21 (6), 59 (1).
Friedman, Milton, 26.

Gaja, Roberto, 90, 122 (2, 12).
Galli, Giancarlo, 35 (8, 10).
Gambino, famiglia, 129.
Gambino, Agostino, 130, 133.
Gambino, John (nato Giovanni), 129, 131, 133, 136.
Gelli, Licio, 20, 96, 110, 111, 113-15, 117-120, 122 (23), 132, 134, 136, 141.
Giannini, Amedeo, 32, 47.
Gigliobianco, Alfredo, 21 (3), 87 (28).
Giolitti, Antonio, 9, 55, 71.
Giolitti, Giovanni, 8, 31.
Giordano, Francesco, 59 (9, 12).
Girotti, Raffaele, 50.
Giuffré, Antonino, detto Nino, 135.
Giuliano, Giorgio Boris, 136.
Giuliano, Salvatore, 139.
Gleason, Harold, 67.
Gorresio, Vittorio, 21 (2).
Gotor, Miguel, 5 (1), 122 (18, 25), 123 (31).
Grattan, Della, 101.
Gronchi, Giovanni, 21 (2).
Guarino, Giuseppe, 101, 109, 122 (21), 123 (38).
Guarino, Philip, 96, 113.
Guarrasi, Vito, 135, 138 (32).
Guidi, Giovanni, 70, 87 (26).
Gullo, Stefano, 112.
Guzzi, Rodolfo, 87 (16), 101, 102, 108, 114, 117, 124 (60), 126-28, 130, 133, 135.

Hambro, Jocelyn Olaf, 37, 48.
Hambro, Richard, 60 (25).

Imbriani Longo, Giuseppe, 47.
Impenna, Claudio, 59 (11).
Imposimato, Ferdinando, 125, 134, 136 (1), 137 (3), 138 (27).
Infelisi, Luciano, 107, 108, 142.
Inzerillo, Salvatore, 129, 134-36.

Jeweler, Michael, 137 (3).
Johnson, Lyndon Baines, 67.

Kennedy, David, 37, 64, 67, 81, 90.

Lai, Benny, 35 (12).
La Malfa, Giorgio, 87 (20, 27), 88 (38, 40), 137 (5).
La Malfa, Ugo, 9, 55-58, 59 (2), 70, 71, 75, 91, 98, 111.
Lanaro, Silvio, 19, 22 (26).
La Torre, Pio, 143.
Leggio, Luciano, 125, 137 (3).
Leone XIII (Vincenzo Gioacchino Pecci), papa, 31, 33.
Leone, Giovanni, 34.
Lima, Salvo, 129, 135.
Lodato, Saverio, 138 (34).
Lolli, Ettore, 48, 51.
Lombard (pseudonimo di Romano Gattoni), 60 (26, 39, 43, 45), 87 (22), 136 (1, 2).
Lombardi, Riccardo, 9, 10, 21 (3).
Longo, Francesca Paola, 129, 134.
Lori, Anna, 144.
Lupo, Salvatore, 22 (29), 136 (1), 137 (16), 138 (35, 37), 145 (6).

Macaluso, Emanuele, 20, 22 (27), 143, 145 (7).
Maccanico, Antonio, 107.
Macchi, Pasquale, 30.
Madron, Paolo, 59 (2).
Magnani, Marco, 21 (4, 10), 59 (1).
Magnoni, Giuliano, 115.
Magnoni, Piersandro, 98, 126, 128, 137 (6, 15).
Magrí, Enzo, 35 (3).
Mancini, Giacomo, 76.
Marchetti, Piergaetano, 21 (5).
Marcinkus, Paul Casimir, 28, 30, 35, 115, 118, 120, 124 (71).
Marino, Giuseppe Carlo, 136 (1).
Marino Mannoia, Francesco, 133, 134, 138 (25, 28, 36).
Marinotti, Franco, 26, 28, 37, 39.
Martin, Malachi, 35 (14).
Marzotto, famiglia, 46.
Mattarella, Piersanti, 130.
Mattei, Enrico, 49, 138 (32).
Mattioli, Raffaele, 26, 33, 35 (8), 39, 42, 45, 50, 59 (9).
McCaffery, John, 37, 48, 112, 113.
McCaffery, John jr, 48.

Medici, Giuseppe, 43.
Menghini, Fabrizio, 123 (35).
Menichella, Donato, 48.
Mennini, Luigi, 124 (56, 71).
Merzagora, Cesare, 14, 48, 51, 52, 60 (20, 21), 92, 116, 124 (58), 139, 140.
Meyer, André, 39.
Miceli, Vito, 114.
Miceli Crimi, Joseph, 129, 132-34.
Minervini, Gustavo, 87 (18), 137 (12).
Minoli, Giovanni, 122 (20).
Moizzi, Ernesto, 28, 29.
Mondadori, famiglia, 46.
Montanaro, Silvestro, 137 (4).
Monti, famiglia, 46.
Monti, Mario, 35 (5).
Moratti, famiglia, 46.
Moro, Aldo, 4, 8, 20, 99, 102, 103, 105, 129, 136.
Mussolini, Benito, 34, 46.
Mutolo, Gaspare, 134.

Nardozzi, Giangiacomo, 21 (14).
Navarra, Walter, 126.
Nixon, Richard, 90.
Nogara, Bernardino, 31.
Novembre, Silvio, 128, 137 (5, 10), 144, 146 (12).
Nuzzi, Gianluigi, 136, 145 (4).

Occhiuto, Antonino, 75, 79.
Occorsio, Vittorio, 114.
Onado, Marco, 35 (5).
Onofri, Paolo, 88 (45).
Orlandi, Flavio, 76, 112.
Ortolani, Umberto, 117, 119-21.
Ortona, Egidio, 99.

Padalino, Giulio, 109, 119.
Padoa Schioppa, Tommaso, 35 (5).
Panerai, Paolo, 60 (20, 25, 35), 92, 122 (16), 123 (40).
Pandolfi, Filippo Maria, 105, 108.
Paolo VI (Giovanni Battista Montini), papa, 28, 29, 34, 35.
Pazienza, Francesco, 109, 121.
Pecorelli, Carmine, detto Mino, 103, 104, 107, 108, 123 (27-29), 137 (12).
Pecorelli, Francesco, 122 (28).
Pennino, Gioacchino, 135.
Pertini, Alessandro, detto Sandro, 110.
Pesenti, Carlo, 32, 46, 52, 120.
Petrilli, Giuseppe, 77, 78, 82, 87 (26).
Pezzino, Paolo, 22 (20).
Pinotti, Ferruccio, 123 (54, 55), 124 (68, 70), 138 (30).
Pio XI (Achille Ambrogio Damiano Ratti), papa, 31, 32.
Pirelli, Leopoldo, 52.

Pisciotta, Gaspare, 139.
Pizzorno, Alessandro, 22 (21).
Porco, Daniel, 27, 37, 125.
Puddu, Pier Luciano, 75, 76.

Radi, Luciano, 21 (2).
Rao, Paul, 96.
Ravelli, Aldo, 41.
Ravera, Camilla, 123 (39).
Reichers, Edwin, 67.
Reina, Michele, 136.
Rey, Guido M., 21 (9).
Riccobono, Rosario, 134.
Riina, Salvatore, detto Totò, 136.
Risi, Dino, 40.
Riva, Giulio, 41.
Rizzoli, famiglia, 46.
Rockefeller, Nelson, 98.
Rodano, Franco, 29.
Rognoni, Virginio, 143.
Romiti, Cesare, 39, 59 (2).
Rosone, Roberto, 121.
Rossa, Guido, 107.
Rossi, Ernesto, 41.
Rossi, Salvatore, 21 (15), 88 (45).
Roth, Arthur Thomas, 63.
Rothschild, Evelyn Robert de, 48.
Rovelli, Angelo, detto Nino, 104.
Rumor, Mariano, 55, 57.
Ruotolo, Sandro, 137 (4).

Salvati, Michele, 21 (8).
Salvo, cugini, 138 (32).
Salvo, Antonino, detto Nino, 135.
Santovito, Giuseppe, 121.
Saraceno, Pasquale, 25.
Sarcinelli, Mario, 102, 107-10, 137 (8), 145.
Scalfari, Eugenio, 35 (4), 47, 51, 60 (19, 24, 27), 140.
Scoppola, Pietro, 18, 21 (9, 18).
Secchia, Pietro, 29, 35 (8).
Segni, Antonio, 11.
Segreto, Luciano, 60 (17).
Shaddick, Peter, 64, 65, 67, 89.
Sica, Domenico, 134.
Signorio, Armando, 41.
Siino, Angelo, 132, 135, 136, 138 (22).
Silj, Alessandro, 123 (36).
Simoni, Gianni, 60 (42), 87 (17), 136 (1, 2), 137 (15, 21), 140, 145 (2).
Sindona, Antonino, 27.
Sindona, Maria Elisa, 25, 127, 137 (6), 140.
Sindona, Nunziata, 25.
Sinkey, Joseph, 87 (12).
Sisti, Leo, 35 (9).
Smith, James E., 66, 68.
Sogno, Edgardo, 71, 113, 114, 123 (46), 132.
Sommella, Roberto, 122 (28).
Sossi, Mario, 71.

Spada, Massimo, 28-30, 32, 34, 35 (9), 37, 48, 124 (56).
Spagnuolo, Carmelo, 111.
Spatola, Rosario, 129, 133, 136, 138 (26).
Spatola, Vincenzo, 129, 134, 136.
Spaventa, Luigi, 86, 88 (42, 43), 123 (39).
Spero, Joan Edelman, 60 (44), 86 (1), 87 (7, 10).
Sraffa, Piero, 145 (3).
Stajano, Corrado, 146 (11).
Stammati, Gaetano, 101, 102, 106, 126.

Tambroni, Fernando, 8.
Tamburini, Fabio, 56, 60 (30, 36), 137 (5).
Tassan Din, Bruno, 120-.
Taverna, Calogero, 77, 83.
Teodori, Massimo, 123 (50), 138 (29), 145 (6).
Terranova, Cesare, 136.
Tescaroli, Luca, 138 (30).
Tino, Adolfo, 56.
Toeplitz, Jósef Leopold, 26, 31, 33.
Togliatti, Palmiro, 29.
Tondini, Amleto, 30.
Toniolo, Gianni, 21 (10).
Torchiani, Tullio, 52.
Tornabuoni, Lietta, 122 (6).
Tornielli, Andrea, 35 (14).
Tosches, Nick, 35 (1, 7), 87 (3), 122 (1), 124 (63).
Trabucchi, Giuseppe, 13.
Trotta, Gianni, 26.
Turani, Giuseppe, 35 (4), 47, 60 (19, 27).
Turco, Maurizio, 124 (56).
Turone, Giuliano, 60 (42), 87 (16), 136 (1, 2), 137 (15, 21), 145 (2).

Urbisci, Ovilio, 137 (5), 144.

Vacca, Giuseppe, 19, 22 (24), 143, 146 (8).
Valerio, Giorgio, 26, 48.
Varvaro, Paolo, 21 (12), 60 (20, 21), 145 (1).
Ventriglia, Ferdinando, 70, 72-78, 82, 85, 87 (25, 26), 95.
Vinci, Anna, 122 (23).
Viola, Guido, 137 (5), 144.
Violante, Luciano, 138 (34).
Virgillito, Michelangelo, 41.
Visco, Ignazio, 21 (14).
Visentini, Bruno, 56.
Visentini, Gustavo, 56, 57, 60 (38, 40).
Vitale, Giacomo, 127, 129, 132, 134, 138 (22).
Volpi, famiglia, 46.

Zanussi, famiglia, 46.
Zappa, Gino, 25.
Zoppas, famiglia, 46.
Zullino, Pietro, 137 (4).

*Stampato per conto della Casa editrice Einaudi
presso ELCOGRAF S.p.A. - Stabilimento di Cles (Tn)*

C.L. 20583

Ristampa

1   2   3   4   5   6

Anno

2016   2017   2018   2019